科学で大切なことは
本と映画で学んだ

渡辺政隆

みすず書房

目次

挿絵　山本美希

はじめに

タフでなければ

出合いはなんでもそうだが、本との出合いにも絶妙なタイミングがある。レイモンド・チャンドラーの『さらば愛しき女よ』(1)との出合いがまさにそうだった。大学を卒業し、大学院での研究生活を開始した当初のことだった。

優しきタフガイ、フィリップ・マーローは、好むと好まざるとにかかわらずトラブルに巻き込まれてゆく。「トラブル・イズ・マイ・ビジネス」「タフでなければ生きてゆけない、優しくなければ生きている資格がない」とつぶやきながら。

モラトリアム状態にあった自分とは対照的なヒーローがまぶしかった。これを機に、海外のハードボイルド小説に耽溺した。

設立されたばかりのハードボイルド小説ファンクラブ「マルタの鷹協会」にも、友人の誘いで入会した。当時はちょうど、ロバート・B・パーカー(2)やジェイムズ・クラムリー(3)らの新作が刊行されていた時期で、ネオ・ハードボイルドの全盛期だった。

ただしパーカーのスペンサーシリーズは、日本語の語り口と、主人公スペンサーがマッチョすぎ

読者カード

みすず書房の本をご購入いただき，まことにありがとうございます.

書　名

書店名

・「みすず書房図書目録」最新版をご希望の方にお送りいたします.

（希望する／希望しない）

★ご希望の方は下の「ご住所」欄も必ず記入してください.

・新刊・イベントなどをご案内する「みすず書房ニュースレター」（Eメール）をご希望の方にお送りいたします.

（配信を希望する／希望しない）

★ご希望の方は下の「Eメール」欄も必ず記入してください.

（ふりがな） お名前　　　　様	〒	
ご住所	都・道・府・県	市・郡 区
電話	（　　　）	
Eメール		

ご記入いただいた個人情報は正当な目的のためにのみ使用いたします.

ありがとうございました. みすず書房ウェブサイト https://www.msz.co.jp では刊行書の詳細な書誌とともに，新刊，近刊，復刊，イベントなどさまざまなご案内を掲載しています. ぜひご利用ください.

郵便はがき

料金受取人払郵便

本郷局承認

4150

差出有効期間
2022年5月
31日まで

113-8790

東京都文京区
本郷2丁目20番7号

みすず書房営業部
行

通信欄

ご意見・ご感想などお寄せください．小社ウェブサイトでご紹介させていただく場合がございます．あらかじめご了承ください．

て、今一つ感情移入できなかった。それに対してクラムリーの『さらば甘き口づけ』は、探偵の酔いどれぶり、ビールを飲むブルドッグなどのキャラクターが絶妙で、チャンドラーの再来との誉れが高く、好みだった。

もっとも、その点に関して、訳者の小泉喜美子さんの賛同は得られなかった。二日酔いの朝はチャンドラーを読み返すと公言するほどのチャンドラーファンだった小泉さんにすれば、マーローに匹敵するヒーローはいなかったのだろう。

チャンドラー作品に関しては、最近になって、新訳の村上春樹版も登場した。今や古典ともいえる清水俊二訳とは一長一短だが、ことタイトルに関しては、旧訳に軍配を上げたい。

マルタの鷹協会を通じて、小泉喜美子さんや小鷹信光さん、木村二郎さんなど何人かの作家や翻訳家の方とも知り合いになった。そして自分自身、商業誌へのデビューを果たした。小説ではない。光文社の「ＥＱ」誌一九八二年九月号に「マルタの鷹を探せ」と題したエッセイを寄稿したのだ。

タイトルは、もちろんダシール・ハメットの『マルタの鷹』[4]に由来する。陰の主役ともいうべき

（1）『さらば愛しき女よ』（清水俊二訳、ハヤカワ・ポケット・ミステリ、一九五六／ハヤカワ・ミステリ文庫、一九七六）
（2）マッチョな私立探偵スペンサーを主人公としたシリーズもので知られる。
（3）『さらば甘き口づけ』（小泉喜美子訳、早川書房、一九八〇／ハヤカワ・ミステリ文庫、一九八八）

黄金の鷹像のモデルとなった「鷹」の種類を推理するという趣向である。モデルはあっけなく特定できてしまうため、話の展開に苦労した覚えがある。小説の原題は *The Maltese Falcon* であり、文字どおり、鷹ではなくハヤブサの像なのだ。ハヤブサとなると、地中海地方には一種しかいないのだ。チャンドラーよりもハメットのほうが、文体も生きざまもハードボイルド度が強い。実人生のパートナーだった劇作家リリアン・ヘルマン原作の自伝的映画「ジュリア」[5]にはハメットも登場する。ジェイソン・ロバーズ演じるハメットが、ぼくにとってのヒーローとなった。ハメットが創造したサム・スペードでも、それを演じたハンフリー・ボガートでもなく、ハメット自身が。

人生なんてそういうものだ

SFに初めて心を揺さぶられたのはスタニスワフ・レムの『ソラリスの陽のもとに』[6]だった。正確に言えば、それを原作としたタルコフスキー監督の映画「惑星ソラリス」[7]を観たのが先である。SFが、架空の舞台設定を借りて人間の本質をえぐる文学たりえることを知った。レムの重厚なスタイルに比べると、カート・ヴォネガットは軽妙洒脱である。ぼくはレムでSFに本格的に入門し、ヴォネガットに進級した。

ヴォネガットの作品は、もはやSFというジャンルに収まらない。ファンタジーに越境していると同時に純文学でもある。

ただしその作品は、軽妙ではあるが決して明るくはない。それには彼自身の戦争体験が反映している。第二次世界大戦のヨーロッパ戦線に従軍し、ドイツ軍捕虜としてドレスデン爆撃を体験しているのだ。

連合軍による一九四五年二月一三―一五日のドレスデン爆撃は、同じく焼夷弾を多用した一九四五年三月一〇日の東京大空襲の一〇万人をも上回る一四万人の死者を出したといわれている。

その地獄を生き抜いた作家として、ヴォネガットにとって避けて通れないテーマを扱ったのが『スローターハウス5』[(8)]だった。ただしその語り口は、時空を奔放に移動する主人公を配した、いかにもヴォネガット流のひねりの利いたものだ。

そこには、味方による大量殺戮を目の当たりにし、人生に諦観した作家ならではの諧謔が込めら

---

(4)『マルタの鷹』(村上啓夫訳、創元推理文庫、一九六一)(小鷹信光訳、河出書房新社、一九八五/ハヤカワ・ミステリ文庫、一九八八、〔改訳決定版〕二〇一二)。映画はジョン・ヒューストン監督でハンフリー・ボガート主演の「マルタの鷹」(一九四一、アメリカ)

(5) フレッド・ジンネマン監督「ジュリア」(一九七七、アメリカ)、原作は『ジュリア』(中尾千鶴訳、パシフィカ、一九七八/大石千鶴訳、ハヤカワ文庫NF、一九八九)

(6)『ソラリスの陽のもとに』(飯田規和訳、早川書房、一九六五/ハヤカワ文庫SF、一九七七)/『ソラリス』(沼野充義訳、ハヤカワ文庫SF、二〇一五)

(7) アンドレイ・タルコフスキー監督「惑星ソラリス」(一九七二、ソビエト)

(8)『スローターハウス5』(伊藤典夫訳、ハヤカワ文庫SF、一九七八)

れている。作品中では「そういうものだ（so it goes）」という決まり文句が繰り返される。人知ではいかんともしがたい事態に関して発せられるつぶやきだ。ヴォネガットの作品では、この種の寸言のリフレインが通奏低音として効果的に発せられる。

軽妙だが深刻、おかしいが悲しい、荒唐無稽っぽいが妙にリアル。ヴォネガットの小説は、複雑にして単純な人間の姿をみごとに描き出してきた。エッセイにしてもまたしかり。

かつてヴォネガットは、拡大家族という概念を提唱した。赤の他人でも家族だと思えば人々の孤独は癒され、自ずから世界は平和になるはずといったところか。汝の隣人を愛せよと言い換えてもいい。ただしこれは宗教ではない。

徹底した無神論者にして自由思想家であるヴォネガットは、自らを人間主義者と呼ぶ。当然、死後の世界など考えない。したがって、亡くなったヴォネガットに対して、「カートはいま天国にいるよ」というのがいちばん気の利いた最高のジョークとなる。

だが、実の家族どうしでも心はかよわず、平和はいっこうに訪れない。もう怒る元気もない。涙もユーモアも枯れ果てた。

ヴォネガットの遺作にあたるエッセイ集『国のない男』(9)には、「わたしはおもしろいことの言える人間だったのに、もう言えなくなってしまった。（中略）腹立たしいことがあまりに多くて、笑いでは対処しきれなくなってしまったからだ」とある。「唯一わたしがやりたかったのは、人々に笑いという救いを与えることだ」ったというのに。なんてこった。世の中は、それほど殺伐としてしまった。

そこで語られている言葉は、すべて真実を突いている。「みなさんにもひとつお願いしておこう。幸せなときには、幸せなんだなと気づいてほしい」と言われると、不満ばかり言っている自分が恥ずかしくなる。

「百年後、人類がまだ笑っていたら、わたしはきっとうれしいと思う」。われわれはこのメッセージをしっかりと受け止め、幸せだと気づける人を一人でも増やしてゆくしかないだろう。ありがとう、ヴォネガットさん。あなたに神のお恵みを！

ヴォネガットは一九八四年五月に来日した。なにを隠そうぼくは、その講演会会場にいた。今となっては、満員の席に身を押し込んでいたことしか覚えていない。だが、憧れの作家を追っかけたのは、後にも先にもそれっきりだ。

日本人たるわれわれにとって幸いだったのは、ヴォネガットとの出会いをとりもってくれたのが、伊藤典夫と朝倉久志という稀代の名翻訳者だったことだろう。

チャンドラーとヴォネガットを履修していたぼくは、村上春樹のデビュー作[10]に喝采した。大好きな二人の作風を想わせる作家がついに日本にも出現したかとうれしくなった。

（9）『国のない男』（金原瑞人訳、日本放送出版協会、二〇〇七／中公文庫、二〇一七）
（10）『風の歌を聴け』（講談社、一九七九）

ドン・ガバチョが教えてくれた

本を手にとるきっかけはさまざまだ。映画を観て原作を読みたくなるということもある。前述のスタニスワフ・レムの場合がそうだった。

中学生だったぼくは、ドストエフスキーの『罪と罰』を手にとった。米川正夫訳の新潮文庫だったと思う。亀山郁夫の新訳でブームとなった今とは違い、当時は選択の余地がなかった。

なんでまたそんな背伸びをと言われそうだが、きっかけは単純、NHKの人形劇「ひょっこりひょうたん島」でドン・ガバチョが名作だと紹介したからである。

「ひょうたん島」は井上ひさしの脚本だけに、とても含蓄に富んでいた。主題歌はもちろん、主要な挿入歌を今でも歌えるほど、ぼくは影響を受けた。

それでドストエフスキーだが、とにかくすごいものを読んだという読後感だったと思う。その後も大作を読み進めた。

ヴォネガットの『スローターハウス5』には、「人生について知るべきことは、すべてフョードル・ドストエフスキーの『カラマーゾフの兄弟』の中にある。（中略）だけどもうそれじゃ足りないんだ」というせりふが登場する。

中学生だった当時のぼくは、その足りない部分をヴォネガットではなく、井伏鱒二で補った。まず手にとったのが『多甚古村』である。これもたまたまNHKの文芸作品紹介番組で知って、読みたくなったからだった。

そして『駅前旅館』ほか一連のユーモア路線の作品を読破していった。教科書で読んだ『山椒魚』よりもよほど、人生の機微を学ぶことができた。

井伏鱒二を師と仰いでいた太宰治の作品では『富嶽百景』がいちばん好きだった。今から思えば、富士山頂の角度から説き起こしているところはちょっとサイエンスっぽい。

京都の中学生だったぼくは、修学旅行で東京と箱根を訪れた。富士山が見えたなら、裾野の広さのわりには高さが低いという太宰の指摘を確認しようと意気込んでいたのだが、富士山は最後まで雲に隠れて見えなかった。

東京の人にとって富士山が意外と身近なことを確認したのは、大学進学で上京した後のことである。アパートの窓から富士山が見えるという太宰の記述に、ようやく得心がいった。

地元ゆかりの作品であることも、本を手にとるきっかけとなる。中学生時代の一年間を除いて高校卒業までの大半を金沢で過ごしたぼくにとって、室生犀星は特別な作家となった。犀星の自伝的な小説『性に眼覚める頃』を五歳上の兄の机の引き出しに見つけたときは、秘密を共有したような気になった。

科学に眼覚める頃

さてそこでようやく科学の話となる。いつ頃なぜ、科学にひかれるようになったのかはよく覚えていない。しかし影響を受けた一般向けの科学書、いわゆるポピュラーサイエンスについてはおぼろげな記憶がある。

それは小学校の図書館で何気なく見つけた本だった。原子核物理学と微生物学の歴史についての本だったはずだ。もしかしたらあかね書房の『少年少女世界ノンフィクション全集12』(中村浩訳)だったのかもしれない。そこには、クライフの『微生物のかりゅうど』と、ローレンスの『原子力をつくった人たち』が収録されているからだ。

ともかくも一読してぼくは理論物理少年になった。そして、金沢市香林坊の北国書林地下の科学書コーナーで、長考の末、初めて買った科学書が、原子核を発見した物理学者の伝記『ラザフォード――20世紀の錬金術師』[11]だった。

そのほか、公共図書館も利用してガモフ全集の『不思議の国のトムキンス』[12]など手当たりしだいに読んだ。そのなかに湯川秀樹の自伝『旅人』もあった。

中学二年の途中で京都に引っ越すことになり、最初にしたのが、転校先の同級生にガイド役を依頼しての比叡山登山だった。『旅人』での記述が頭にあったためと記憶している。

微生物学者のエピソード集もおもしろかった。それが先の全集だったとしたら、クライフの名著『微生物の狩人』の抄訳だったことになる。パスツールの「白鳥の首フラスコ」を用いた生物自然発生説の反証実験の逸話が特に印象的だった。そして親にせがんで顕微鏡を買ってもらった。物理一辺倒でもなかったわけである。

中谷宇吉郎の随筆「立春の卵」も学校図書館の本で読んだ。いつもは立てられない生卵が立春の日には立つという中国のことわざを反証するという内容である。ぼくはすぐさま、食卓で生卵を立てる実験をした（3章参照）。

どうやらぼくは、読書やテレビの影響を受けやすい少年だったようだ。動物もの、自然もののテレビ番組が好きだった。いつのまにか、宇宙の進化か生物の進化のいずれかを研究したいと思うようになっていった。

最終的に生物の進化を選んだのだが、結局、研究ではなく科学読み物の書き手となった。それには多分に偶然も作用したのだが、一貫したこだわりは、なぜ自分たちはここにいるのか、科学はその謎にどう取り組んできたのかである。

二〇〇九年には、ダーウィンの『種の起源』（光文社古典新訳文庫）の新訳[13]を世に送り出すことができた。これは、長い読書遍歴の末の、自分にとっての必然だったような気がする。

（11）E・N・C・アンドレード『ラザフォード――20世紀の錬金術師』（三輪光雄訳、河出書房、一九六七）
（12）G・ガモフ『不思議の国のトムキンス』（伏見康治他訳、白揚社、一九五〇）
（13）チャールズ・ダーウィン『種の起源』（渡辺政隆訳、光文社古典新訳文庫（上下）、二〇〇九）

1　科学オタクはお好き?

百科事典の老舗平凡社の百科事典の項目は「愛」で始まるという風説を聞いたことがある。ぼくも少しだけ関わった世界大百科事典には、愛を「過不足なく普遍妥当」に定義することは不可能であり、意味がないとある。ならばいっそのこと、「愛こそはすべて」と歌ったビートルズにならい、「すべての人が必要としているもの」それが「愛」という定義でどうだろう。

愛のない実験

では、愛を感じる瞬間とはどういう状態なのか。俗に体に電撃が走るという言い方があるが、実際にはどういう状態なのか。愛しいものを見ると胸がキュンとする体験とはどういうことなのか。神経生理学的に解析するのは野暮というものだろうが、感情もまた生理学的なものであり、その仕組みに物理化学法則が作用しているというのは厳然たる事実である。

一八世紀イタリアの生理学者ガルバーニは、死んだカエルの脚の神経と筋肉を露出させておいたところ、火花放電で筋肉がピクンと動くのを観察した。さらには、銅と亜鉛など、異なる二種類の金属で筋肉をはさんでも、ピクンと反応することを発見した。これは後に、ボルタによる電池の発明につながった画期的な発見だった。

一九世紀イギリスの作家メアリー・シェリーは、本人曰く「ダーウィン医師及びドイツの幾人かの生理学者」の実験に想を得て、科学者ヴィクトル・フランケンシュタイン男爵が死体から身長二・四メートルの怪物を造り、稲妻のエネルギーで命を吹き込むという物語『フランケンシュタイン』[14]を創作した。

シェリーが言及しているダーウィン医師とは、『種の起源』（一八五九年）の著者チャールズ・ダーウィンの祖父エラズマス・ダーウィンのことである。エラズマスはチャールズが生まれる前に、詩集『自然の殿堂』（一八〇三年）の中で、生命は「太古の洞窟に差し込む日差しの温もりの中、波の下で」自然発生し、微小な生命体から海を泳ぐものや地を這うもの、空を飛ぶものが現れ、植物が芽を伸ばしたという壮大な「進化論」を語っていた。

二一世紀アメリカの映画監督ティム・バートンは、ガルバーニ、エラズマス・ダーウィン、メアリー・シェリーの系譜に連なり、ストップモーション・アニメの傑作「フランケンウィニー」[15]を世に送り出した。

架空の町ニューホランドに住む小学生で、その名もヴィクター・フランケンスタインが、車には

（14）『フランケンシュタイン』（小林章夫訳、光文社古典新訳文庫、二〇一〇）
（15）ティム・バートン監督「フランケンウィニー」（二〇一二、アメリカ）

ねられて死んだ愛犬スパーキーを、稲妻のエネルギーでよみがえらせたことで町中が大騒ぎになるというストーリーである。

ヴィクター少年を刺激し、危ない科学の一線を踏み越えさせたのは、科学教師のジクルスキ先生だった。ジクルスキ先生は、落雷で意識不明となった科学教師の代理として着任した、ちょっと怪しげな人物である。その容貌は、まるでマッドサイエンティストにしてドラキュラである。

ジクルスキ先生は、雷の電気的性質を語り、ガルバーニの実験を再現し、生きものの体は電気で動くことを生徒に教える。その実験が、ヴィクターをマッドな世界へと踏み出させてしまう。ペット墓地から死体を回収して修復し、屋根裏の実験室で死体をよみがえらせてしまったのだ。ただし怪物ではなく、愛犬スパーキーを。

物語はそこから破天荒な展開を見せる。科学コンテスト（日本語字幕では「科学展」）で一等賞を狙う生徒たちが、ヴィクターをまねて、さまざまな死んだペットをよみがえらせてしまうのだ。

ここまでの話は、マッドサイエンティストが科学オタク少年をそそのかして科学を悪用させるという展開である。映画がカオス状態に突入する直前、ジクルスキ先生は解任される。保護者会で、生徒をそそのかして危ない実験に走らせた責任を問われて、弁明するどころか、「あなたたちは自分が理解できないものを恐れている。まるで犬が雷や破裂音を恐れるように」と言い放ってしまったのだ。しかし、ジクルスキ先生を見かけと過激な発言だけで判断してはいけない。

別れ際、「みんな科学を嫌っている」と寂しそうにつぶやくヴィクターをジクルスキ先生は諭す。

「みんな、科学が提供してくれるものは好きだが、科学が提起する疑問は嫌いなのさ」「科学は善でも悪でもないんだよヴィクター。しかしどちらにも使える。だから君も使い方に気をつけなさい」、「愛」のないほうの実験は失敗しただろ、と。

なんともハートウォーミングな終わり方ではないか。ちなみにエラズマス・ダーウィンは、「愛」の種類はちがうかもしれないが、植物をめしべとおしべの数で分類するリンネ式分類体系を信奉し、「植物の愛」(一七八九年出版の『植物の園』に収録)と題した詩で愛も語っていた。

彼女らは歓びに満ちてその比類なき華やかな衣をはだけ、
とまどう男たちを胸に抱かんとす(「植物の愛」一ノ一一五―一一六)

フランケンシュタイン男爵の怪物も、父親ともいうべき男爵の愛に焦がれていた。

酔狂な科学実践家

科学を愛する科学者は、ときに酔狂にして偏屈だったりする。一八世紀から現代に至るまで、人間は何度の気温まで耐えられるか、食べ物はどうやって吸収されるのか、恐ろしい伝染病の原因は何かなど、命の危険も顧みず自ら実験台になったモルモット科学者列伝『自分の体で実験したい』[16]を読むと、なんとまあとしか言いようがない。

だが、現在の視点からすればばかげていること、危険すぎることでも、当時の時代背景、科学技術の水準の中でしっかりと位置づけてもらうと、そうした奇特な科学愛好者たちのおかげで科学は進歩してきたことがよくわかる。しかもその位置づけ方が粋で、過不足のないちょうどよいさじ加減になっているとなれば、科学リテラシーを養う良書となりえる。

この本の原書は、アメリカの科学教育者団体から高い評価を受けた中高生向けの科学書なのだが、大人が読んでもおもしろい。それもそのはず、同書の着想を得てから出版まで、構想と取材に十数年をかけているという。その間に集めた長いリストの中から精選された一〇話がコンパクトにまとめられているのだ。

惜しむらくは、エーテルによる全身麻酔を初めて実施したアメリカ人医師の話で、日本の華岡青洲の偉業が補足されていない点だろう。青洲が種々の薬草を独自に調合した全身麻酔薬曼陀羅華(まんだらげ)を用いて乳がん摘出手術に世界で初めて成功したのは一八〇四年であり、同書で紹介されているアメリカの事例に先立つこと四〇年あまり前のことなのだ。だがそれはやはり、日本人によってこそ書かれるべき物語なのかもしれない。

体を張るということでは、『世界で一番美しい元素図鑑[17]』の著者セオドア・グレイも人後に落ちない。

二〇〇八年、イギリスのチェルトナムという小都市で毎年開かれている科学フェスティバルに参加した。その中の催しの一つで「サイエンスキャバレー」と題された夜のイベントは、ユニークでちょっと笑える科学の研究に授与されるイグノーベル賞の出張イベントだった。

イベントの中身は、栄えある歴代の受賞者から何人かがゲスト出演し、その研究内容を発表するというもの。同賞の主催者マーク・エイブラハムズの当意即妙軽妙洒脱な進行もあって、笑えるエンターテイメントである。そしてそこに登場したのが「周期表机（ピリオディック・テーブル・テーブル）」だった。

これは一流のしゃれで、周期表を意味するピリオディック・テーブルのテーブル（表）と机（テーブル）をひっかけ、ほんとうに周期表型の木製机を作ってしまったという話。その机には個々の元素の分だけポケットがあって、蓋を開けると本物の元素が入っている（ただし原則として）。本物の元素を集める努力も並大抵ではない。ウランを調達しようとしてＦＢＩに目をつけられたこともあるとか。それでも努力の甲斐あり、二〇〇二年度の栄えあるイグノーベル化学賞に輝いた。そんな粋狂な人物こそが、セオドア・グレイである。

それだけでは飽き足らず、元素への愛を多くの人と共有すべく著したのが、美しい元素図鑑、その名も『世界で一番美しい元素図鑑』なのだ。

若い頃に暗記した文句が、つい記憶によみがえることがある。「水兵リーベぼくの船……」もそ

（16）レスリー・デンディほか『自分の体で実験したい——命がけの科学者列伝』（梶山あゆみ訳、紀伊國屋書店、二〇〇七）

（17）Ｔ・Ｗ・グレイ『世界で一番美しい元素図鑑』（武井摩利訳、若林文高監修、創元社、二〇一〇）

の一つ。その正体は、むろん、周期表に並んでいる元素の順番である。高校で化学に苦労した日々がよみがえる人も多いだろう。あるいは現役の諸君は苦労の真っ最中かも。

教科書に載っている周期表は、何かしらの規則性は予感させるものの、元素記号の羅列だけで、いかにも無機的である。その背景をなす理論を理解すれば、これほど美しい規則性はないとは言われても。

そういう認識を一変させたのが、二〇〇五年の科学技術週間に発表された「一家に1枚周期表」だった。ノーベル賞候補の呼び声高かった化学者玉尾皓平さんが、「居間に飾り、親子で科学の話をするという状況をつくり出したい」との思いで制作したポスターである。その要点は、個々の元素がどんな製品に使われているかを明示したことにあった。これを見て、「高校生の頃にこの表を見ていたら、化学がもっと好きになっていたかも」とつぶやいた人が、ぼくの周りにもたくさんいた。

その意味で、「一家に1枚周期表」は目から鱗的な新発想だった。しかしその上を行っていたのが、グレイの周期表机であり、件の図鑑というわけだ。

この図鑑は、たしかにじつに美しい。元素の周期性という原理の美しさ以上に、元素そのものの写真が美しいのだ。むろん、無色の気体や、天然には存在しない短命な放射性元素そのものの写真はない（前述の机のポケットにも入っていない）。その場合は、それに代わる見せ方で、グレイの蘊蓄が示されている。たとえば酸素は、マイナス摂氏一八三度で液化した薄青色の液体として登場するといったぐあい。

個々の元素を使用した製品も多数紹介されており、そこでも著者グレイのマニアックなコレクターぶりが遺憾なく発揮されている。たとえば原子番号41のニオブ製ボディーピアス。あるいは、一九九〇年代初期の男性用「ラジウム精力増進器」は、股間に装着することで放射線が生殖器にあたり、精力が増進するという触れ込みだったとか。本物のラジウムだとしたら、無知とは恐ろしいと思わせる製品である。ただし、日本で人気の「ゲルマニウム温浴剤」の写真を見ると、他人事ではない。

ヒュー・オールダシー＝ウィリアムズの『元素をめぐる美と驚き』[18]は、元素にまつわる文化にこだわった本である。元素はわれわれの物質的生活を支えているだけでなく、人類の歴史、地理、美術、文学などにも深く入り込んでおり、まさに遍在していることを示すのが、著者の狙いだという。

著者は大学で科学を専攻したが、アートにも強くひかれている自分に気付いたという。出版社勤務を経てフリーライターに転身後は、ジャーナリスト、美術館特別展の企画者・監修者などとして、科学とアート双方にこだわった活動を続けている。

その言葉どおり、同書には様々な元素にまつわる文学作品からの引用やアート作品への言及が散

---

(18)『元素をめぐる美と驚き――アステカの黄金からゴッホの絵具まで』(安部恵子ほか訳、早川書房、二〇一二／ハヤカワ文庫NF(上下)、二〇一七)

りばめられている。聖書や『失楽園』などは当然のこととして、ゲーテ、ディケンズ、スタインベック、フロベール、サルトル、『華麗なるギャッツビー』『白鯨』、はては『ロリータ』や『チャタレー夫人の恋人』まで。たとえば『チャタレー夫人の恋人』には「鉱物界の元素動物」などという表現が登場するのだそうだ。

アート作品としては、ミケランジェロの「ダビデ像」、ロダンの「考える人」のほか、ストラヴィンスキーの「春の祭典」、ターナーの「雨、蒸気、速度」、ハリウッド映画「プラチナ・ブロンド」等々、ジャンルも多彩だ。

最後の映画はもちろんプラチナすなわち白金がらみの引用である。その項では、金よりも豊富に産し、当初はそれほど珍重されていなかった白金が、二〇世紀前半になって急に人気を博した背景が語られる。曰く、白金に対する価値観上昇には、貴金属そのものとしての質はさして関係ない。ひとえに、社会的ステータスやイメージが上昇したからだという。たとえばレコード業界は、ゴールドディスクが頻発してありがたみが減ったことへの対策として、さらに格上のプラチナディスクを導入したといった調子である。

紹介されている逸話のなかでぼくの一押しは、『ロリータ』の作者ウラジーミル・ナボコフの例だ。ナボコフは文学者としてのみならず、蝶の分類学者としても名を残している。採集旅行のおりに、ガソリンスタンドのネオンサインに引き寄せられた蛾を採集し、大いに喜んだという。

その旅行では、シジミチョウの新種らしき個体も採集した。ナボコフは当初、それをネオニンファ属に分類した。最終的にはキロプシス属の新亜種に落ち着いたのだが、最初の分類は、ネオンサイン脇で味わった興奮と無関係ではなかったと思いたい（ただしネオニンファとは「新しい乙女」という意味でネオンとは関係ないのだが）。

同書は文化、それも特に西洋文化における元素についての蘊蓄を傾けた本である。なぜ西洋文化なのかの理由は単純。天然に存在する元素は、インドにおける亜鉛、南アメリカにおける白金以外はすべてヨーロッパで発見されてきたからだ。

日本への言及はただ一箇所。広島大学の研究者によると、生物が金属を体内で濃縮する能力において、バナジウムを濃縮するホヤの能力は生物界最高だとの紹介のみである。

ただし二〇一六年、新元素発見において、日本もようやく一矢報いることができた。理化学研究所のグループが113番目の元素の合成を確認し、承認されたのだ。当初はUut（ウンウントリウム）という仮称で呼ばれていたが、晴れてニホニウムNhという正式名称が付された。

虫屋にもっと愛を

科学の悪用は映画やドラマのマッドサイエンティスト物の定番だが、最近のドラマでは、科学が悪を裁くというパターンのほうが主流となりつつある。その先鞭をつけたのが、アメリカで二〇〇〇年に放送開始された「ＣＳＩ　科学捜査班」だろう。いくつかのスピンオフドラマを生んでいるほか、日本でも類似のドラマが好評を得ている。

科学捜査物では遺伝子やIT、ビッグデータの解析など、最先端のその先を行く（まだ実現していない）科学技術が駆使される。愛のないドライな手法だ。

それに対して、犯罪ドラマのもう一つの潮流ではウェットな手法が操られる。犯罪者の心理を読んで犯人を追い詰める犯罪プロファイリングである。心理分析官が活躍する犯罪ドラマも登場している。その走りとなったのが、ジョディ・フォスター主演のサイコスリラー「羊たちの沈黙」[19]だろう（原作はトマス・ハリスの同名小説[20]）。

ジョディ演じるFBIアカデミーの訓練生クラリスは、天才精神科医「人食いレクター」ことハンニバル・レクター博士（演じるは名優アンソニー・ホプキンス）の謎めいた言葉に翻弄されつつも、ついには連続殺人犯と対決する。

そこで重要な役割を演じるのが蛾の蛹である。殺人犯によって背中の皮を剝がれ川に沈められた被害者の喉に、蛾の蛹が詰め込まれていたのだ。なぜそんなことをしたのか。

気色が悪いイモムシも、蛹を経て美しい蛾や蝶に変身する。蛾や蝶の蛹は変身願望の隠喩である。そこで思い出すのが、ジョン・ファウルズの小説で映画化もされた『コレクター』(原作は一九六三年、映画は一九六五年)だろう。こちらは、蝶マニアの孤独な青年が、一方的に好意を抱いた女性を監禁し、「飼育」を開始するという物語である(8章も参照)。

「羊たちの沈黙」で重要な鍵を握る蛾はメンガタスズメという種類で、成虫は背中に髑髏マークを背負っている。そのことからレクターは、それは死の象徴であり、犯人は女性変身願望をもつ男で、蛾の飼育を趣味としていると推理する。

ただし、じつはこのメンガタスズメ、映画の舞台であるアメリカにはいない。日本を含むアジアに分布する大型のスズメガなのである。ミツバチの巣箱に潜入して蜂蜜を横取りする習性から、「蜂蜜泥棒」という別名もあるという。成虫は捕まえられたりするとキイキイという音を出すらしい。背中の髑髏マークと相まって不気味な蛾だ。

(19) ジョナサン・デミ監督「羊たちの沈黙」(一九九一、アメリカ)
(20) 『羊たちの沈黙』(菊池光訳、新潮文庫、一九八九)(高見浩訳、新潮文庫(上下)、二〇一二)

ところが映画のポスター（文庫本の表紙）で使われている蛾は、少しだけ派手な、アフリカ産でヨーロッパにも飛来する別種ヨーロッパメンガタスズメである。ビジュアル的にはこちらのほうが目立つということで採用されたのだろう。

映画の話なので、正確さを問うのは無粋というものだろう。むしろ気になるのはそこではない。クラリスが蛹の同定を依頼しに訪れた先である。

クラリスは、夜中に自然史博物館の恐竜展示室を通り抜け、昆虫学者の研究室を訪れる。じつは映画を観ていても、こういうシーンばかりが気になってしまう。

しかもそこで、なんとも怪しい会話が交わされる。そこでは二人の若い男が生きた甲虫を使ってチェスに興じていた。この二人を主人公にしたスピンオフドラマを見たくなるような、みごとな虫オタクぶりだ。クラリスをナンパする遠回しなせりふと表情も、かなり怪しい。一瞬、じつはこいつらが犯人なのではと思わせるほどに。これが、世間が見る虫オタクのイメージなのか。そういえば、カマキリ先生になりきった香川照之さんもけっこうきわどい。

こんなシーンが唐突に挿入されているからには、制作企画段階でも入念な準備がなされていたにちがいない。そこで映画のエンドロールをチェックしてみた。すると、昆虫学のアドバイザーとして二人の名前が出ていた。一人はピッツバーグにあるカーネギー自然史博物館の昆虫学者ジョン・ローリンズ博士。同博物館は撮影協力もしたらしい。あの展示室と研究室はそこだったのかもしれない。画像検索すると、映画制作から二〇年の歳を重ねたローリンズ博士の写真が見つかった。博士は優しい目をしたひげ面のオヤジだった。

もう一人の虫屋さん（ナチュラリストのコミュニティにおいて昆虫研究者はこう呼ばれている）は、スミソニアン自然史博物館の昆虫展示開発者サリー・ラブさん。そういう職種が、あちらの大きな博物館にはあるのだ。検索すると、九二年当時のチャーミングな写真が見つかった。しかし、な、なんと、頭と胸には巨大なナナフシ、手にはタランチュラを乗せてほほ笑んでいるではないか。博物館には、いったいどういう種族が生息しているのやら。

自然史博物館の動物学者がもっと重要な役柄を演じる映画もある。それが「スプラッシュ」[21]だ。ただしじつは、DVDを改めて観直したところ、とんでもない記憶違いに気付いてしまった。なるほど、主演のトム・ハンクスがなんとも若い。「ブレードランナー」[22]でレプリカント役を演じていた人魚役のダリル・ハンナも初々しい。それはともかく、ぼくの記憶では、トム・ハンクス演じるアランが自然史博物館の動物学者で、ヒロインは美しい人魚のはずだった。ところが、アランは動物学者ではなかった。実際に登場する動物学者は、人間に変身した人魚の正体を暴こうと追い回す、ちょっと間抜けな役回り（演じるはユージン・レヴィ）だったのだ。

美しい人魚がカッコイイ動物学者に夢中になる映画だという勘違いは、潜在的な願望のなせる業

（21）ロン・ハワード監督「スプラッシュ」（一九八四、アメリカ）
（22）リドリー・スコット監督「ブレードランナー」（一九八二、アメリカ）

だったのか？

いやしかし、この映画がとても素敵なラブストーリーであることにまちがいはなかった。しかも異種間の禁断の愛ときている。通りの名にちなんでマジソンと呼ばれることになった人魚姫の一途な思いがなんともせつない。一方のアランは、幼い頃、船から海に飛び込んでマジソンと出会った意識下の記憶に縛られ、恋ができない身になっていた。

マジソンは、水に濡れると脚がひれに戻ってしまう。そこで狂言回しの動物学者は、人魚発見を証明するためにバケツやホースを持って追い回す。科学オタクの定番的なドタバタ劇である。

あれっ？　そういえば、これって、どこかで見たような気がする。もしかして、「崖の上のポニョ」[23]ではないか。

人間に姿を変えたポニョは、自分が入れられていたバケツを持ち歩く。ポニョのお父さんで元人間のフジモトは、乾燥を嫌い、背負ったタンクの水をまきながら上陸していたはずだ。

「ポニョ」でのぼくのお気に入りは、フジモトが、「カンブリア紀にも比肩する生命の爆発。再び海の時代が始まるのだ！」と叫ぶと、デボン紀の古代魚が群泳しだすシーンである。母なる海への回帰願望の叫びである。

ポニョは人間界に残るが、「スプラッシュ」ではアランがマジソンといっしょに海に戻る。もしかして、アランはフジモトで、マジソンはポニョのお母さんグランマンマーレであり、「ポニョ」は「スプラッシュ」へのオマージュなのか？

それにしても、恋する人魚はなんで必ず女の子で、科学者はなんで必ず男で、しかもオタクなのだろう。
そんなジェンダーバイアスをひっくり返したのが、スウェーデンの推理作家スティーグ・ラーソンの『ミレニアム』シリーズ三部作[24]だ。

セキュリティーの網の目をかいくぐって狙ったコンピュータシステムに自在に侵入する。言わずと知れたハッカーの手口である。

世の中は、身に覚えのないところから勧誘の電話がかかってきたり、メールが送りつけられたりという時代に入った。知らぬ間に自分の情報が盗み見られているという不安がよぎる。空恐ろしい世の中になったものだ。

企業の顧客データが大量に流出した事件があった。だが、データをダウンロードして売り飛ばした容疑者の罪名は不正競争防止法違反。そう、窃盗罪ではないのだ。個人情報保護法違反でもない。個人情報保護法は、あくまでも個人情報を取り扱う事業者を規制する法律なのだ。適切なデータ管理をしている限り、誰かの悪意で情報が漏れたとしても、事業者が罰せられることはないのだそうだ。

だが、誰かが罪に問われるかどうかは別にして、情報を盗み取られて公開されてしまったら後の祭りである。ネットを通じてどこまでも広がってゆき、犯罪に結びつく。

なので天才ハッカーは物語の格好のテーマだ。その一つが『ミレニアム』シリーズ。スウェーデン制作のテレビドラマ版があったが、ハリウッドでもその第一作が映画化された[25]。

ドラゴンのタトゥーを背負い、パンク・ファッションで身を固めたリスベット・サランデル（ルーニー・マーラ）。見かけはいかれた女の子だが、じつは天才ハッカー。反権力リベラルを標榜する雑誌「ミレニアム」の主筆で、女性にモテモテのミカエル（007役者のダニエル・クレイグ）が一応の主人公だが、その調査を助けるリスベットがもう一人の主役。

大企業グループの経営者一族をめぐる過去の闇をミカエルとリスベットが暴くというストーリーである。主役二人にも複雑な事情がまとわりついており、北欧のくすんだ光も相まってイイ感じである。どんな陰惨な事件でもありそうな雰囲気とでもいおうか。

それはそれとして、この映画の山場は、デジタル情報のスペシャリストであるリスベットが、企業の資料庫でアナログ情報を漁る場面かもしれない。

(23) 宮崎駿監督「崖の上のポニョ」（二〇〇八、日本）

(24)『ミレニアム1 ドラゴン・タトゥーの女』（ヘレンハルメ美穂・岩澤雅利訳、早川書房、二〇〇八）、『ミレニアム2 火と戯れる女』（ヘレンハルメ美穂・山田美明訳、早川書房、二〇〇九）、『ミレニアム3 眠れる女と狂卓の騎士』（ヘレンハルメ美穂・岩澤雅利訳、早川書房、二〇〇九／いずれもハヤカワ・ミステリ文庫（上下）、二〇一一）

(25) デヴィッド・フィンチャー監督「ドラゴン・タトゥーの女」（二〇一一、アメリカ）

見つけたいものがわかっていれば探し方を工夫できる。あとは時間との勝負。間一髪で間に合うかどうかハラハラさせる旧来の手法は、デジタル社会でも健在だ。

ドキドキさせられるのだが、このアナログシーンには、なぜかちょっとホッとさせられた。

2 新しいヒーロー像

ヒーローになった科学者

私の名前はボンド。ジェームズ・ボンド。職業は鳥類学者。一九〇〇年、フィラデルフィア生まれだが、イギリスに移住してケンブリッジ大学を卒業した。その後再びアメリカに戻り、いったんは銀行勤めをしたのだが、子どもの頃からの鳥好き、蝶好きの情熱抑えがたく、フィラデルフィア自然科学アカデミーの研究員に転じた。

いちばんの専門は西インド諸島の鳥類相。バードウォッチャーのあいだでは古典的名著と言われている『フィールドガイド西インド諸島の鳥』（一九三六年）は私の誇りだ。今もなお版を重ねているはずだ。

西インド諸島の鳥にひかれたのは、そこではたくさんの鳥が絶滅し、なおも絶滅の危機にさらされていたからだ。絶滅の危機を食い止めると共に、絶滅する前にその地域の鳥類の分布をきちんと記録しておく必要があった。

野外調査は時に危険なこともあったが、私の人生は概ね穏やかなものだった。ただし一時期、とんでもない騒動に巻き込まれたことがある。こともあろうに、イギリスの諜報員が私の名を騙ったのだ。

たしかに私は、鳥類標本採集のために銃を携帯してはいる。しかし基本的には、生きものの殺生は好まない平和主義者である。殺しのライセンス00（ダブル・オー）などとはおよそ無縁なのだ。

話は一九五三年にさかのぼる。その年、イアン・フレミングとかいうイギリスの作家が、『カジノ・ロワイヤル』[26]という小説を発表した。その主人公が、どういうわけか私と同姓同名だったのだ。一九五八年に出版された007シリーズの第六作『007 ドクター・ノオ』[27]は、ボンドがよりにもよって鳥類学者を装い、ジャマイカ島沖の孤島に潜入するという設定だった。

とはいえ私は、一九六〇年まで偽ジェームズ・ボンドの存在を知らなかった。『007 ドクター・ノオ』が六二年に映画化[28]されると、身辺がいささかあわただしくなった[29]。

でもまあ、イアン・フレミングからは名前を勝手に借用したことに対する謝罪もあったし良しとしよう。彼もバードウォッチャーで、ジャマイカに別荘を所有していた縁で私の本のヘビーユーザ

（26） イアン・フレミング『007／カジノ・ロワイヤル』（白石朗訳、創元推理文庫、二〇一九）
（27） イアン・フレミング『007 ドクター・ノオ』（井上一夫訳、ハヤカワ・ポケット・ミステリ、一九五九／ハヤカワ・ミステリ文庫、一九七八、〔改訳版〕一九九八）
（28） テレンス・ヤング監督「007 ドクター・ノオ」（一九六二、アメリカ）
（29） Mary Wickham Bond, *How 007 Got His Name: Mrs James Bond*, Collins, 1966.

ーだったのだそうだ。

００７映画二四作で見られる鳥をできる限りすべて同定した本まで出版されているというから鳥類学者冥利に尽きる。(30)

ただしどうせなら、映画版「００７　ドクター・ノオ」でも、ボンドを鳥類学者と名乗らせてほしかった。いやそれもすでに半世紀以上も前の話である。映画のボンドのほうは今も現役で活躍しているとか、何よりだ。

と、鳥類学者ジェームズ・ボンド氏は草葉の陰で呟いたとか呟かなかったとか。

しかしそこに飛び込んできたのが、七代目の００７は女性になるという噂。しかしそれも、プロデューサーが否定したことであっけなく消滅した。まあ、女性エージェントが活躍する映画はもはや珍しくないのだから、００７をあえて女性にする必要はないだろう。

もっとも、女優がアクション映画の添え物的な役回りを演じる時代は長く続いた。古くは、特撮映画の古典「キングコング」[31]では、南海の孤島、髑髏島からニューヨークに連れてこられた巨大なゴリラ、キングコングが、美女（フェイ・レイ）を拉致し、エンパイアステートビルによじ登る。しかしキングコングは、美女を安全な場所に避難させたせいで、複葉機の機銃掃射を浴びて墜落死してしまう。

幼いときにこのシーンを観て記憶に刻み込まれたせいで、エンパイアステートビルを見るたびに、キングコングを思い浮かべてしまう。それと、その続編「コングの復讐」[32]では、キングコングの息子キングコング・ジュニアが、地震によって沈みゆく髑髏島の頂上に仁王立ちし、主人公たちを手の平に乗せて命を救う。この光景も美化されしっかりと刷り込まれてしまったらしく、火山島を見るたびにそのシーンを思い出す。

女性はアクション映画の添え物というイメージは、人々の潜在意識に強く刻み込まれてきたせいで永らえてきた。そんな、強いヒーローは男性に限るという世間の思い込みを打破した一人が、

---

(30) Taryn Simon, *Field Guide to Birds of the West Indies*, Hatje Cantz, 2016.
(31) メリアン・C・クーパー、アーネスト・B・シュードサック監督「キングコング」（一九三三、アメリカ）
(32) アーネスト・B・シュードサック監督「コングの復讐」（一九三三、アメリカ）

「エイリアン」[33]とそのシリーズで主役を演じたシガニー・ウィーヴァーかもしれない。そのシガニー・ウィーヴァー、「愛は霧のかなたに」[34]では一転して動物学者を演じている。

かつて、ゴリラには凶暴な動物というイメージがあった。「キングコング」はそれを踏まえた映画であり、凶暴そうな容貌が強調されていた。

しかし、動物園で生の姿に触れる機会が増えたことや、野生のゴリラ研究が進んだことで、ゴリラには心優しい森の隣人というイメージが定着した。ゴリラの生息地に単身住み込んで研究したアメリカ人女性ダイアン・フォッシーの功績は特に大きい。

病院勤務のセラピストだったフォッシーの人生を変えたのは、著名な化石人類学者ルイス・リーキーの講演だった。人類の起源を探るには化石だけでなく、大型類人猿の生態研究も有効であると説いたのだ。チンパンジーの研究で有名なジェーン・グドールも、リーキーの呼びかけで類人猿研究者になった一人である。

三四歳にしてゴリラ研究を開始したフォッシーは、距離を置いて観察する従来の方法に飽き足らず、自ら群れの中に身を置き、しぐさや発声なども真似ながら観察した。そうやってマウンテンゴリラの社会構造やコミュニケーション行動を明らかにしていったのだ。

それと同時に、密猟と生息地減少で絶滅の危機にあるマウンテンゴリラの保護活動にも力を入れた。しかし五四歳の誕生日直前、調査拠点の宿舎で殺害されているのが見つかった。ゴリラに愛情を注ぐあまり、地元住民、行政、動物商などとのトラブルも多かったことが原因らしいと言われているが、犯人はわかっていない。

「愛は霧のかなたに」は、フォッシーの半生を描いた映画である。撮影はフォッシーが実際に研究していた調査地を借り上げて行なわれた。フォッシーになり切ったシガニー・ウィーヴァーを見たゴリラたちは、フォッシーが帰ってきたと錯覚したかのごとく興奮したと言われている。

ただし、映画の邦題がいただけない。原題は、フォッシーの著書の題名と同じ「霧のなかのゴリラ」[35]なのに、女性が主役だからということなのか、タイトルに「愛」が冠せられている。映画に登場するゴリラは、野生のゴリラのほかは、本物そっくりの着ぐるみだという。どれが本物でどれが着ぐるみかわからないほどの出来だ。しかも愛くるしい。

映画「キングコング」の最後の決め台詞は、「あの野獣を殺したのは飛行機じゃないよ、美女だよ」だった。フォッシーを殺したのは何者だったのか、真相もまた霧のなかである。

---

(33) リドリー・スコット監督「エイリアン」(一九七九、アメリカ)
(34) マイケル・アプテッド監督「愛は霧のかなたに」(一九八八、アメリカ)
(35) ダイアン・フォッシー『霧のなかのゴリラ——マウンテンゴリラとの13年』(羽田節子・山下恵子訳、早川書房、一九八六/平凡社ライブラリー、二〇〇二)

名探偵登場せず

ロンドンから一二〇キロの距離にあるデントンは冴えない田舎都市である。そこでたまに突拍子もない事件が勃発するのだが、風采の上がらない傍若無人なフロスト警部が、いつの間にか解決してしまう[36]。

デントンは人気推理小説に登場する架空の町だが、『大英自然史博物館　珍鳥標本盗難事件[37]』の舞台であるトリングは、ロンドンの北西五〇キロに実在する。しかし悲しいかな、そこにフロスト警部はいなかった。

事件はトリングにある博物館で起きた。正式名称は大英自然史博物館トリング分館。かつてはウォルター・ロスチャイルド動物学博物館の名で親しまれていた小規模の自然史博物館である。

同館は、その旧名のごとく、かつては個人の私設博物館だった。大富豪ロスチャイルド家の御曹司ウォルターが、家業の金融業を継ぐことを条件に、二一歳のときに親からのプレゼントとして自宅の敷地に一八八九年に創建したのだ。ウォルター亡き後、大英自然史博物館に寄贈され、名称も変更された。

ヴィクトリア様式の建物は、今も当時の面影をたたえている。狭い通路は重厚な板張りで、それを挟むように木製キャビネットが立ち並び、小はノミから大はゾウまで、シンプルだが重厚な展示であふれている。

ただし犯行現場はウォルターの博物館内ではなかった。ロンドン市内の一等地に威容を誇る大英自然史博物館の鳥類部門が、一九七〇年代初めに、増える一方の収蔵品の保管場所を求めて、トリング分館の広大な敷地に新たな研究棟と標本庫を建設し、鳥類関連標本のすべてを移転したのだ。事件はその収蔵庫で起きた。

標本収蔵庫のスチールキャビネットには、かのダーウィンが採集したダーウィンフィンチ類や、同時代の博物学者ウォレスがニューギニアで集めたフウチョウ（極楽鳥）など、貴重な剝製がぎっしりと収まっている。

二〇〇九年六月、その収蔵庫に泥棒が入り、フウチョウやキヌバネドリなど極彩色の羽毛を持つ貴重な鳥の標本二九九点が盗まれた。当初、捜査は後れを取った。ガラス窓の破損だけで、ダーウィンフィンチなどのお宝を入れた特別な棚は無事だったことから、盗難の被害はなしと判断されたからだ。七五万点あまりの標本を収納する一五〇〇個のキャビネットすべての調査がなされることはなかった。

犯行が露見したのは、窓の破損から一四日後に、学芸員がたまたま開けた棚が空だったからだっ

（36） R・D・ウィングフィールド「ジャック・フロスト警部シリーズ」全六作（芹澤恵訳、創元推理文庫、一九九四―二〇一七）

（37） カーク・ウォレス・ジョンソン『大英自然史博物館 珍鳥標本盗難事件――なぜ美しい羽は狙われたのか』（矢野真千子訳、化学同人、二〇一九）

た。しかし、捜査はただちに行き詰まった。犯行の目当てがわからなかったからだ。

犯人は二〇一〇年一一月に逮捕された。ロンドンの王立音楽院でフルートを学ぶ二二歳のアメリカ人による、フライフィッシングの毛針（フライ）の材料目当ての犯行だった。彼はサーモンフライ作りの名人だった。

フライフィッシングでは、カゲロウやカワゲラなどに似せて羽毛や獣毛で作った毛針を用いる。しかしサーモンフライは、純粋にその美を競うもので、ヴィクトリア時代に指定された希少な鳥の羽がベストとされ、世界中に愛好家がいる。今はワシントン条約で取引が禁止されている鳥なのだが、マニアの間では半ば公然と高値で取引されている。

同書は、この奇異な事件の真相と背景を追った異色のドキュメントである。犯人は、発達障害との診断により実刑を免れる。二〇〇点ほどの標本が回収されたが、貴重なラベルがなかったり、羽がむしられていたりした。しかも犯人は、棚に収まっているより、美しいフライに姿を変えたほうが価値があるとうそぶく始末。そのうえまだ何かを隠しているようだ。なんとも気が滅入る顚末である。

本当にしたいこと

トリング分館を抱える大英自然史博物館の本館は、ロンドンのサウスケンジントンで威容を誇るロマネスク調石造りの美しい建物である。現在の正式名称は Natural History Museum, London だが、歴史的には、大英博物館の分館として建造された。

収蔵品の大元となったのは、一八世紀初めに活躍した高名な医師でコレクターでもあったハンス・スローンのコレクションである。一七五三年、スローンの死後に国によって買い上げられた七万一〇〇〇点を超える膨大なコレクションが大英博物館に収められ、同博物館自然史部門の基礎となった。

しかし大英帝国の発展と共に海外から持ち込まれる自然史関連の収蔵品はあふれ返り、やがて展示室は足の踏み場もないほどになった。

その窮状に一計を案じたのが、一八五六年から同自然史部門の責任者となっていた、一九世紀を代表する解剖学者リチャード・オーエンだった。ダイナソアすなわち恐竜という言葉を提案したのが誰あろうこのオーエンである。

政財界の有力者と懇意だったオーエンはロビー活動を展開し、大英博物館分館の建設に奔走した。「古美術品のすき間にはとうてい収まりきらなくなりました」と訴えかけたのだ。「自然の殿堂」と呼ぶにふさわしい理想の博物館の基本デザインを練ったのもオーエン自身である。大英博物館の分館となる自然史部門の新しい施設は、一八八一年四月一八日に開館した。

建物の外壁にはさまざまな動物のテラコッタ像が配されている。ライオン、ワシ、トカゲなどの現生動物、絶滅した翼竜にまじって架空の動物グリフォンの像まで。正面玄関ホールの石柱にはシダの浮彫り、天井には各種植物の彩色された陶板画が貼られている。いずれも建物の設計者アルフレッド・ウォーターハウスがオーエンの命を受けてデザインしたものだ。

開館したばかりの自然史博物館の展示室に、スケッチブックを手に足しげく通う少女がいた。少女の名はビアトリクス・ポター。ピーターラビットの生みの親にして、映画「ミス・ポター」[38]の主人公である。

ポターの父親は、親の財産を受け継いだ裕福な有閑紳士で、職に就く必要もなく、世間の体面のみを気にする俗人だった。ただしその財産のおかげで、少女は自然史博物館の近所で暮らし、夏は湖水地方で過ごすことができた。おまけに絵の家庭教師まであてがわれ、鳥や昆虫、植物、化石などの水彩画を好んで描くようになった。

二〇歳を迎えたビアトリクスは、キノコの魅力にとりつかれ、森の妖精の姿を絵に写しとるだけでは飽き足らず、弟の顕微鏡でキノコの実験観察も始めた。当時のイギリスはちょっとした博物学ブームに沸いており、博物画や関連本の出版も盛んだった。しかもそうした絵や本の書き手、今で言うサイエンスコミュニケーターの多くは女性だった。絵本の創作を開始したビアトリクスは、その傍らで菌類や地衣類の研究も続けた。

ビアトリクスの半生を描いた映画「ミス・ポター」に博物学の話は登場しない（ポターを演じるのはレネー・ゼルウィガー）。映画では、裕福な家の娘として生まれたのに経済的な自立を目指した才長けた女性としての側面が強調されている。

ピーターラビットの成功で富を得たビアトリクスは、私財を投じて湖水地方の景観保存を進めたほか、牧場で羊の育種も試みた。アート、サイエンス、ビジネス、自然保護をしなやかに結び合わせたその生き方に、学ぶ点は多い。

当時のサイエンスは、趣味と実益を兼ね備えた営為だった。それが、サイエンスが試験勉強や職業、栄誉獲得の対象とされるようになったことで、大切なことがどこかに置き去られてきたのかもしれない。

そんなことを考えていたとき、痛快無比の青春ドラマに出合った。これほど素直に楽しめる映画も珍しい。インドの理系映画「きっと、うまくいく」[39]である。

インド有数の工科大学で、それぞれ問題を抱えた三人の新入生が寮のルームメートとなる。

語り手のファラン（ファルハーン）は、堅実で強権的な父親からエンジニアになることを期待されて育った。しかしほんとうは動物写真家になりたいため、勉強に身が入らない。

ラージューは、父親が寝たきりの貧しい家庭出身で、ＩＴ企業の高給取りになることが望み。しかしその重荷から神頼みに走るばかりで、試験で実力を発揮できない。

主役のランチョー（実年齢四四歳で大学生を演じたのはアーミル・カーン）は、富豪の息子らしいのだが、とにかく工学の勉強ができることがうれしくてしょうがない。言動は破天荒だが成績は常に

(38) クリス・ヌーナン監督「ミス・ポター」（二〇〇六、イギリス）
(39) ラージクマール・ヒラーニ監督「きっと、うまくいく」（二〇〇九、インド）

トップ。

このランチョーが仲間二人を励ましながら、成績第一主義の学長に反発して珍騒動を繰り広げる学園ドラマ。原題はなんと、「三人の大バカ」！

ランチョーは、教科書にある知識を教えるだけの講義には満足できない。教授陣には逆らいっぱなしなのだが、成績はダントツ。成績順で記念写真を撮る学長のやり方も気に食わない。勉強や成績や一流企業への就職が目的ではなく、使える知識を身につけることこそが、ランチョーのしたいことなのだ。

ほんとうにしたいこと、自分にとって大切なことを見失っている学友を鼓舞し、自分も高嶺の花に告白すると宣言。恋のシーンでは、インド映画お約束の歌と踊りが入る。これがまた効果満点ときている。主題歌も友情を高らかに歌い上げて素直に感動できる。

映画自体は、卒業一〇年後から始まる。三人に痛い目に合わされっぱなしのあげく、トップ卒業の座までランチョーに奪われたガリ勉で嫌味なチャトルが、一〇年後の再会を宣言していたのだ。誰が出世頭かを確認したいがために。

しかしランチョーは、卒業式直後、いずことも知れず行方をくらましていた。

チャトルとファラン、ラージューがランチョーの居場所を訪ねて再会するまでの一日の出来事を、大学時代の回想シーンを入れ込んで一七〇分にギュッと凝縮!?　ランチョーとは何者で、なぜ消えたのかが徐々に明かされてゆく。じつににくい構成だ。インドで大ヒットしたのも納得できる。

サイエンスは誰のためのもの？　創造的な理数教育とは？

難点は最後の甘い落ちだが、まあよしとしよう。それ以外は満点なのだから。みんなも苦しいときは、ランチョーの口癖「アァル・イズ・ウェール！」（All is well のインド式発音表記 Aal Izz Well）と大声で叫ぼう！　まあなんとかなるさ。

3　自然の数秘術

数学者は無垢な天才？

とかく科学者には変人やオタクが多いと思われている。科学者に知り合いが多い身としては、必ずしもそんなことはないと思うのだが（だいいち妻が科学者なので、そんなことは口が裂けても……）。特に偏っているのが数学者のイメージだろう。ただしかつてある会合で、「数学者は変わっているから」という発言に対して、フィールズ賞受賞歴のある高名な数学者が、「研究歴の長いアメリカでそんなふうに言われたことはない」とムッとする光景に立ち会ったことがある。数学者のイメージも国によって違うのだろうか。

日本における数学者のイメージの原点をあえて映画に求めるなら、一九六一年の松竹映画「好人好日」[40]に行き着く。これは、笠智衆演じる、いささか偏屈ではあるが人の好い数学者の物語。日頃愛用の長靴を左右逆に履いたり、娘の求婚者が持ってきた手土産の羊羹を飼い犬に食べさせたり、寝床で数学の難問を考えたり、文化勲章を受章するために奈良から上京した宿で勲章を泥棒に盗まれたり、料亭での祝いの席で酒も飲まずに一人寮歌を歌い出すといったエピソードが微笑ましく描かれる。

この映画にはモデルと思しき実在の人物がいる。最後は奈良女子大学教授となった岡潔である。岡は数々の奇行伝説をもつ人物で、長らく在野で数学の研究に没頭し、国外で高い評価を受けたことを受けて一九六〇年に文化勲章に輝いた。

一躍時の人になった岡をなおいっそう有名にしたのが、犬の散歩の途中、長靴を履いて空中に飛び上がった写真だった。

あるいは、数学は情緒の表現であり、情操教育を怠ると国が亡びるなどの発言で注目を浴び、毎日新聞に連載して一九六三年に出版した随筆集『春宵十話』[41]により、教育や文化に一家言をもつ文化人としても知られるようになった。

岡潔の人柄はともかく、その数学での業績については、門外漢にはさっぱりわからない。

そんな岡の奇行伝説と件の映画が、日本における無垢な天才（変人）という数学者像を定着させたという仮説はどうだろう。キャラクター設定のよく似た小川洋子の小説『博士の愛した数式』[42]と

（40）渋谷実監督「好人好日」（一九六一、日本）

（41）『春宵十話』（毎日新聞社、一九六三、〔改訂新版〕一九七二／光文社文庫、二〇〇六／角川ソフィア文庫、二〇一四）

（42）『博士の愛した数式』（新潮社、二〇〇三／新潮文庫、二〇〇五）、映画は小泉堯史監督「博士の愛した数式」（二〇〇六、日本）で数学者役は寺尾聰。

その映画のヒットが傍証となるのではないか。

洋画では「ビューティフル・マインド」[43]も、実在の数学者ジョン・ナッシュがモデルである。ナッシュは統合失調症の狭間でゲーム理論という数学の一分野を切り開き、一九九四年のノーベル経済学賞に輝いた。

人生はゲームだとしたら、このゲームに勝つ確実な方法はあるのか。たぶんあると、数学の理論であるゲーム理論は予測する。

ゲーム理論は、経済活動から人間の行動、はては生物進化の過程までも数学的に説明することを目指している。

「囚人のジレンマ」と呼ばれる有名な仮想ゲームがある。重罪を犯した共犯者二人が微罪で逮捕された。二人とも黙秘すればそれぞれ禁固一年の刑。自白して共犯者を売れば、自分は無罪放免で相手は禁固五年の刑。二人とも自白して互いに相手を売ればそれぞれ禁固三年の刑（自白による二年の減刑）。ここで共犯者の信頼関係が試される。だが、相手の出方はわからない。自分は黙秘しても、相手は裏切るかもしれない。

詳しいことはともかくとして、この場合、双方にとって最も得な戦略は、二人とも自白して相手を売ることである。

この例に限らず、どんな種類のゲームでも、参加者全員の利得が最大になるような戦略の組み合わせが必ず存在する。これを証明したのがジョン・ナッシュなのだ。世界の動きは数学でどこまで予測できるのか。ゲーム理論の誕生と発展、その可能性については、トム・ジーグフリードの『もっとも美しい数学』[44]に詳しい。

数学者を無垢な天才として描くのは、日本固有の伝統かもしれない。映画「ビューティフル・マインド」中のナッシュは、無垢な天才とはとても言い難いのだ。アメリカ映画では、数学にトラウマを抱く人が多いのは世の東西を問わないせいか、数学者の描かれ方はひねったものになりがちだ。たとえば「グッド・ウィル・ハンティング 旅立ち」[45]と「プルーフ・オブ・マイ・ライフ」[46]。

前者は、マット・デイモンの出世作で、主演だけでなく脚本も担当し、アカデミー脚本賞に輝いた。ハーヴァード大学在学中に課題として書いた脚本がその元になっている。

マット・デイモン演じるウィル・ハンティングは、数学の才を秘めながら世をすねた若者だ。学校の落ちこぼれで、今はマサチューセッツ工科大学のアルバイト清掃員をしながら、養父のＤＶに

---

(43) ロン・ハワード監督「ビューティフル・マインド」(二〇〇一、アメリカ)。原作はシルヴィア・ナサー『ビューティフル・マインド――天才数学者の絶望と奇跡』(塩川優訳、新潮社、二〇〇二／新潮文庫、二〇一三)

(44) 『もっとも美しい数学 ゲーム理論』(冨永星訳、文藝春秋、二〇〇八／文春文庫、二〇一〇)

(45) ガス・ヴァン・サント監督「グッド・ウィル・ハンティング 旅立ち」(一九九七、アメリカ)

(46) ジョン・マッデン監督「プルーフ・オブ・マイ・ライフ」(二〇〇五、アメリカ)

よるトラウマも抱え、無自覚な生活を送っている。ある晩、教室の掃除をしていて、数学の問題が書かれた黒板を目にする。数学科の秀才たちが手も足も出なかった難問である。

翌日、黒板に書かれた解答を見た出題者の教授は驚愕する。しかし、誰が解いたのかはわからない。しかしやがて……

つまり、天賦の数学の才を持つ青年が偶然見出され、自分が目指すべき道を見出すという青春物語である。

一方の「プルーフ・オブ・マイ・ライフ」では、著名な数学者の娘が論文を書くのだが、誰も娘が書いた論文とは認めてくれない。精神を病んで亡くなった天才数学者の父親の論文を剽窃したのだろうとしか思われないのだ。

グウィネス・パルトロー演じる主人公も、情緒不安定という設定である。父親の介護で大学を中退し、事実上のひきこもり生活を送っていた。最後は才能を認められるというのは、ハリウッドお定まりの展開。

原作はこの映画と同名(ただし原題は「プルーフ/証明」)の演劇である。原作の脚本はピュリッツァー賞に輝いた。

オフブロードウェイでの初演は、数学や科学を題材にした演劇の上演を支援するアルフレッド・P・スローン財団の助力で実現した。この財団は、サイエンスの普及を目指しており、数学や科学で味付けされた脚本や本の出版を援助しているのだ。サンダンス映画祭やトライベッカ映画祭でもその種の映画に賞を出している（5章参照）。
それにしても、どうやら、「平凡な数学者」では映画にならないようだ。
そういえば「容疑者Xの献身」[47]に登場する数学者（堤真一）も世をすねたキャラだった。日本における数学者像も多様化してきたということか。一方、主人公の物理学者ガリレオ（福山雅治）のほうは、どう見てもオタクと言っていいだろうな。

数学の効用

資金にものを言わせてスーパースターをそろえた大リーグのオーナーになれたらどんなにすてきだろう。新興企業のオーナー社長が球団を買収したがる気持ちもわかる。

たとえ貧乏球団のオーナーでも、かつての野球少年にとっては夢の実現だ。会社よりもむしろそちらのほうが、オーナーとして腕の振るいがいがあるかもしれない。

アメリカ大リーグ二〇〇二年のシーズン、開幕時の選手年俸総額が一億二六〇〇万ドルだったニューヨーク・ヤンキースは、最終的に一〇三勝し、アメリカンリーグ東地区で優勝した。

一方、同リーグ西地区のオークランド・アスレチックスの年俸総額は四〇〇〇万ドルちょっと。

(47) 西谷弘監督「容疑者Xの献身」（二〇〇八）、原作は東野圭吾の同名小説（文藝春秋、二〇〇五／文春文庫、二〇〇八）。

それでも年間成績はヤンキースと同じ一〇三勝で地区優勝。なんと、一勝にかかった金額は三分の一以下という効率のよさだった。その秘訣は何だったのか。

二〇〇二年のアスレチックスの内幕を若干の脚色を交えて描いた映画が「マネーボール」[48]である。原作はノンフィクションライターで経済ジャーナリストでもあるマイケル・ルイスの『マネー・ボール――奇跡のチームをつくった男』[49]。

主演のブラッド・ピットが演じるのは、ブラピに負けず劣らずハンサムな実在のゼネラルマネージャー（GM）、ビリー・ビーン。GMとは、チーム編成の責任者で監督より偉い存在。もちろんオーナーはもっと偉いが、優秀なGMを任命し、その手腕を存分に発揮させるのもオーナーの醍醐味だろう。日本でも今やGMの存在はあたりまえとなっている。

さてそれでビリー・ビーン本人はというと、超高校級選手として鳴り物入りで大リーグ入りしたものの、短気も災いして選手としては鳴かず飛ばず。引退後はアスレチックスのスカウトになり、一九九七年のシーズン終了後に同球団のGMに就任した。

管理者となったビーンは、実力を発揮できなかった自分自身の反省を踏まえ、個々の選手の特性を適材適所で活かす途を考えた。そのために使用したツールが、セイバーメトリクスだった。

一〇〇年以上の歴史をもつ大リーグの各種データを統計学的に解析するのがセイバーメトリクス。そう、野球もサイエンスの対象なのだ。

ビーンはセイバーメトリクスが弾き出す経験値に独自の解釈を加え、派手ではないが勝利に貢

献する選手を独自の視点で集めた。それも、少ない資金でも勝てるチーム作りを最優先課題として。

チームの勝利にとって、個々の選手の個人成績は必ずしも関係しなかったりする。最下位のチームから三冠王が出ることだってある。この場合、年俸の高い三冠王をチームに置くことは、弱小球団にとっては許されない贅沢となる。

同じことは打率についてもいえる。打率とは、安打（ヒット）数を打数で割った数字である。直感的には打率が高いほどチーム勝利への貢献度が高いような気がする。ところが実際にはそうでもない。打率を計算する際の「打数」がくせものなのだ。この「打数」には、四球いわゆるフォアボールも死球すなわちデッドボールも入らない。

なので、ヒットは少ないせいで打率が低い選手のなかにも、選球眼がよかったりして四死球による出塁数がやたらに多い選手が埋もれている可能性もある。そういう選手は、年俸は少ないがチームへの貢献率が高い。

逆に投手のなかにも、奪三振は少なくても、四死球が少なくて長打を打たれない投手もいる。そういう投手も、起用方法によってはお買い得となる。

表には出ないそうしたデータを見つけ出すのがセイバーメトリクスなのである。選手の隠れた才能だけでなく、監督の采配が試合の勝敗にどう影響するかも分析する。その結果、いわゆる野球の常識を覆す予測も出た。

たとえば、バントや盗塁、敬遠はしない。むだにアウトやランナーを増やすだけだから。そういえば、これと同じ理論をどこかで見聞きしたっけ。そうだ、これってあの「もしドラ」？

ＡＫＢの前田あっちゃんこと前田敦子が主演したベストセラー[50]の映画化「もし高校野球の女子マネージャーがドラッカーの『マネジメント』を読んだら[51]」じゃないか。

同映画の公式ホームページを見てみよう。

ひょんなことで高校野球部のマネージャーを引き受けることになった川島みなみ（前田敦子）は、「マネージャーの仕事の参考にと、勘違いから手にした経営学の父・ドラッカーの名著『マネジメント』に不思議と感動し、そこに書かれている教えを野球部の中で実践していく。次第にやる気のなかった部員や監督の意識・行動、さらに高校野球において長く常識とされてきた古いセオリーを変革させていく」。それが、バントや敬遠はしないにつながっている。

ビーンがドラッカーを読んだかどうかは不明だ。ビーンの秘策は、勝てる確率が少しでも高い選手起用法にある。野球で確率といえば、野村克也の「確率野球」「ＩＤ野球」を思い出す。「ホームランが出る確率は王貞治だって一割を切る。高くはない」は、けだし名言である。

確率は偶然のいたずらではない。大リーグならば年間一六二試合で成功する可能性が高いプレー、選手起用を計算するということだ。ただし逆に、短期決戦のプレーオフではあてにならない。アスレチックスは、地区優勝はしたけれど、プレーオフでは敗退した。

コイン投げで表が出る確率は二分の一である。しかし一回のコイン投げでは、裏が出てしまえばそれで終わりである。確率がものをいうのは、あくまでも試行回数が多い場合なのだ。数学の確率論は、そもそもギャンブルに勝つための理論だった。

確率論によれば、資金が無尽蔵なら確実に勝てる。たとえば宝くじをすべて買い占めれば当たり

（48）ベネット・ミラー監督「マネーボール」（二〇一一、アメリカ）
（49）『マネー・ボール――奇跡のチームをつくった男』（中山宥訳、ランダムハウス講談社、二〇〇四、〔完全版〕ハヤカワ・ノンフィクション文庫、二〇一三）
（50）岩崎夏海『もし高校野球の女子マネージャーがドラッカーの『マネジメント』を読んだら』（ダイヤモンド社、二〇〇九）
（51）田中誠監督「もし高校野球の女子マネージャーがドラッカーの『マネジメント』を読んだら」（二〇一一、日本）

くじが確実に手に入る。しかしそれが当たり賞金に見合う投資かどうかは別の話である。

野球映画に名作は多い。たとえば、キンセラの『シューレス・ジョー』[52]の映画化「フィールド・オブ・ドリームス」[53]。

この映画の伏線は、大リーグ史の汚点として有名な野球賭博疑惑「ブラック・ソックス事件」である。一九一九年のワールドシリーズにおいて三勝五敗でシンシナティ・レッズに敗退したシカゴ・ホワイトソックスの主力選手八名が八百長にかかわっていたとして、球界から永久追放処分にされた事件である。

追放された一人、シューレス・ジョーことジョー・ジャクソンは、強肩強打の外野手だった。問題のワールドシリーズでも打率三割七分五厘（三二打数一二安打）、一本塁打、無失策だった。立派な成績だが、ジャクソンなら五割打ってもおかしくなかったと言われればそれまでだ。これを否定する数学的証明法はない。野球は数字だけではなく、メンタルや偶然も作用する。筋書きのないゲームといわれる所以である。

それはそれとして、その後のアスレチックスはどうなったか。セイバーメトリクスが注目され、金持ち球団も含めた他チームもその分析を取り入れるようになったこともあり、アスレチックスは低迷期に入った。やはりこの世の中、理論どおりにはいかないことが多いようだ。

とかく敬遠されがちな数学だが、数学の確率論がギャンブルの必勝法を追究する中から生まれたように、抽象的であると同時に実学でもある。

数学とか科学というと、難しくてよくわからないといった理由で、苦手意識をもつ人が多い。しかし、理論や実験の詳細は理解できなくても、科学や数学が語りかけるメッセージやドラマを楽しむことは可能である。

感動と理解は、必ずしも一致しない。たとえば、「平均律」の理論は理解していなくても、バッハの「平均律クラヴィーア曲集」に感動できるというように。それと同じで、超ひも理論はちんぷんかんぷんでも、演奏家の語り口一つで、宇宙を統べる壮大な統一理論の夢に魅せられることはできる。

一般向けの科学書や数学書がおもしろくないとしたら、それは、内容が難解なせいではなく、読み物としての出来が悪いせいなのではないか。

オックスフォード大学の数学者マーカス・デュ・ソートイの『素数の音楽』[54]は、数学書のなかでも出色のおもしろさである。物語の主人公は「素数」。素数とは、2、3、5、7、11など、1と自分自身以外では割り切れない正の整数（自然数）のこと。

素数は、古来、多くの数学者を虜にしてきた。あらゆる数字は、1か素数どうしのかけ算として

(52) W・P・キンセラ『シューレス・ジョー』（永井淳訳、文藝春秋、一九八五／文春文庫、一九八九）
(53) フィル・アルデン・ロビンソン監督「フィールド・オブ・ドリームス」（一九八九、アメリカ）
(54) 『素数の音楽』（冨永星訳、新潮社、二〇〇五／新潮文庫、二〇一三）

表せるからである。つまり、数字の元素のようなものと考えればよい。ところが、元素の周期律表は一定のパターン（周期）を示すが、素数を表にしても、そこにはいかなるパターンも認められない。数学はパターンと秩序を尊ぶ。なのに、一〇〇番目あるいは二〇〇〇番目の素数を予測する公式を、数学者は見つけられずに来た。

むろん、素数の謎に迫った数学者はいた。一九世紀ドイツの数学者ガウスは、たとえば五万とか一〇万以下の素数が何個あるかを予測する式を編み出した。だがそれはあくまでも近似式であり、素数の法則を突き止めたわけではない。その弟子リーマンは、師の衣鉢を継ぎ、素数の分布のしかたを予想する「リーマン予想」を行なった。このリーマン予想が、同書の第二の主人公である。

じつはこのリーマン予想、一五〇年近くたった今も、証明されていない。三〇〇年来の難問フェルマーの定理が解けた今、数学に残された未解決の歴史的難問の一つなのだ。

たとえばページの余白への書き込みで予想された超難問フェルマーの定理は、数式としてはきわめて単純なものだった。それに対してリーマン予想は、かなりの字数を使っても説明しがたい。というか、じつはかくいうぼくも、リーマン予想の核をなすゼータ関数なるものがよくわからない。それでもなお、著者ソートイの筆力もあって、同書を読み通す上で、さほど痛痒を感じなかった。

思うにその理由は、「ゼータ関数の風景」とか、素数の「音色を奏でるオーケストラ」、「混沌とした素数の満ち潮」といった比喩が想像力を刺激し、並みいる数学者の挑戦を退けてきた素数が開く広大な地平を、心地よく鑑賞できたからだろう。最近になって、素数と量子力学との関係まで浮上してきたと聞くと、数学と自然界の深淵を覗き見たような思いにさせられる。

驚きのシンクロニシティ

美しい光景ということでは、東南アジアの熱帯林に、一年に一度、ホタルの木が出現する場所がある。一本の木に無数とも思える数のホタルがとまり、クリスマスツリーの電飾よろしく、いっせいにシンクロ（同期）して明滅をくり返すのだ。さぞやロマンチックな光景であるにちがいない。

それにしてもなぜ、ホタルの雄はシンクロするのか。それに関しては、以前から、交尾相手の雌を引き寄せるため（雄どうしのコンテスト）とか、捕食者回避（みんなで光ればこわくない！）など、生物学的な説明がなされてきた。問題は、どうやってシンクロするのかである。個々のホタルが全体を見渡して意図的に同調するのは不可能だろうし、単純に隣のホタルに合わせるだけではウェーブができるのが関の山である。

じつは、指揮者もいないのに複数の周期的な活動がシンクロする現象はホタルにとどまらない。心臓の細胞から天体の運動まで、生物無生物を問わず広く見られるのだ。このような広範にして複雑怪奇な現象を扱うにあたっても、数学が有力な武器となる。実際、非線形微分方程式という、聞いただけでも怖じ気づきそうな数学の力を借りると、ホタルの謎を解く光明が見えてくる。

むろん、ホタルが方程式を解いているわけではない。ホタルはただ、最初は個々ばらばらに周期的な明滅をしているだけである。ところが、互いにコミュニケーションし合いながら明滅周期を変えているうちに、突然、すべての明滅周期がシンクロするということが、実際に起こってしまうのだ。そのような現象を数学的に予測したのが、『SYNC（シンク）――なぜ自然はシンクロしたがるのか』[55]の監訳者、蔵本由紀京大名誉教授であり、それを実証したのが同書の著者であるコーネル大学の数学者ストロガッツだった。

ストロガッツはまた、世界のすべての人は六人の仲介者によってつながっているという「スモールワールド問題」を実証した研究者の一人でもあり、シンクロ現象とネットワーク理論の第一人者である。

しかし同書は、数式だらけの無味乾燥な本ではない。それどころか、数式は一つも登場しない。著者は、「シンクロ」という言葉をキーワードに、脳波、体内時計、神経系、レーザー、超伝導、月の公転、小惑星帯など多様な自然現象に見られる不思議な秩序の謎を、多彩な比喩を駆使することにより紹介してゆく。きら星のごとき先駆的研究者の愉快な逸話も散りばめられており、サービス満点の好著である。

専門外の人に科学を語る場合には、巧みな比喩が欠かせない。同書では、「原子をユニゾンで歌わせる」というしゃれた比喩も紹介されている。これは、「ボース・アインシュタイン凝縮」を実現して二〇〇一年度ノーベル物理学賞に輝いた研究に関するプレスリリースの一文だという。スウェーデン王立科学アカデミーもやるじゃないか。こういうセンスを日本の科学界にも定着させるためにはどうすればよいのだろう。そんなことまで考えてしまった。

未来を予測する。その誘惑に人類は翻弄されてきた。合理的に考えればそんなことは不可能であるにしても。

個人の行動パターンはどうだろう。通勤通学では、ほぼ定時に家を出て同じ場所に向かう。長距離通勤者・通学者は、電車の乗車口、座る座席、ぶら下がる吊り革まで決まっていたりする。それでもちょっとした偶然が作用することで、定型パターンは乱れる。ならば偶然が重なれば、人の行動はランダムな状態へと移行するのか。

そこで『バースト！』[56]の著者バラバシの登場となる。結論から言うと、人に限らず動物の行動、あるいは歴史上の出来事も、決してランダムではない。

バラバシは、人と人をつなぐネットワークを数学的に解析し、複雑きわまりなく錯綜していそうなネットワークでも、実際には少数のハブを起点としていることに気づいた。早い話、少数の社交的な人を起点にした交友関係が多数を占めているのだ。

そしてこの世の中、相手がどんな有名人でも、四人ないし五人を介せばつながってしまう。そん

(55) スティーヴン・ストロガッツ『SYNC（シンク）――なぜ自然はシンクロしたがるのか』（蔵本由紀監修、長尾力訳、早川書房、二〇〇五）
(56) アルバート＝ラズロ・バラバシ『バースト！――人間行動を支配するパターン』（塩原通緒訳、青木薫監訳、NHK出版、二〇一二）

な驚きの事実を教えてくれたのが、前著『新ネットワーク思考[57]』だった。

前著から一〇年という雌伏の時を経て世に問うたのが同書。人の行動パターンは決してランダムではなく、集中的にことが進む短い時期と、長い雌伏期の繰り返しだという。何かが集中的に起こる現象を、バラバシは「バースト」と名づけた。

歴史的な事件も同じだと、バラバシは言う。ハンガリー出身の彼は、一六世紀に起こった祖国の大事件が、歴史的偶然ではなく、まさにバースト現象だったことを巧みに紹介する。

現代と一六世紀の出来事を一章ごとに交互に語る語り口は読む者を飽きさせない。この世の出来事がランダムではないとしたら、規則性はあるのか、予測はできるのか。そう問いかけるバラバシの挑発はどこまでも魅惑的である。

物理学者の頭の中

かねがね数学者だけでなく物理学者の頭の中はどうなっているのかが気になっていた。数学者については謎のままだが、物理学者については、『卵が跳ぶまで考える[58]』と題された本でおおよその見当がついたような気もする。

人は理系と文系に分けられるという極論があるが、世の中それほど単純ではない。サイエンスだってハードサイエンスとソフトサイエンスを皮切りに、さらなる小分けが可能なのだから。

この本の著者、下村裕さんは、固ゆで卵が立ち上がる現象の仕組みを解き明かした物理学者である。いや、超常現象の謎を解いたわけではない。ゆで卵を横にして高速回転させると、やがて縦に立ち上がるのだ。念力などかけなくても誰にでもできる。嘘と思うならお試しあれ。

これは、かねてより知る人ぞ知るアタリマエの現象だった。しかし、その仕組みは説明されていなかった。下村さんは、ケンブリッジ大学留学中の二〇〇一年にその謎解きに取り組み、一年をかけてみごと物理学的な仕組みを解き明かすことに成功した。おまけに、回転中の卵は、立ち上がる直前に一瞬空中に飛び上がるという未知の現象まで発見するというおまけつきで。

じつはそれが書名の由来である。また、その発見の経緯は、前著『ケンブリッジの卵』[59]に詳しい。卵が立つといえばコロンブスの逸話が有名である。ただし「コロンブスの卵」という比喩は間違って使われることが多い。文系人間ならよもやそんなことはないと思うが、意外な発想の転換という意味だと思っているとしたら、それは間違いなのだ。「えっ?」と思った人は、辞書にあたって

(57) アルバート=ラズロ・バラバシ『新ネットワーク思考——世界のしくみを読み解く』(青木薫訳、日本放送出版協会、二〇〇二)
(58) 下村裕『卵が飛ぶまで考える——物理学者が教える発想と思考の極意』(日本経済新聞出版、二〇一三)
(59) 下村裕『ケンブリッジの卵——回る卵はなぜ立ち上がりジャンプするのか』(慶應義塾大学出版会、二〇〇七)

みるといい。

この物理学者はとにかく、身の回りの、一見不思議な物理現象が気になると、実験で確かめずにはいられない。論文を読んで、その点については未解決の問題として残されているという一文を読むと、めらめらと闘志が燃えるらしい。そうか、物理学者とはそういう人なんだと思わず納得。

いや、たった一例のサンプルで納得されたら、下村さんにとってはむしろ心外だろう。

そこですぐに思い当たる別の例が、名文家としても有名な物理学者、中谷宇吉郎の「立春の卵」[60]という随筆だ。立春の日に卵（こちらは生卵）が立つという中国のことわざを実証したという新聞記事を見て、そんなばかなと朝食の並ぶちゃぶ台で追試験をして反証したという話である（根気よく試せば、卵はいつだって立つのだ！）

その教訓は、自分で試さずに人の話を鵜呑みにしてはだめ、というものだった。これが科学のやり方なのである。これは何も物理学特有のことではない。

下村さんは、法学部で物理学を教えている。そこで学生に出す課題は、日頃から不思議に思っていることの原理や仕組みを物理学的かつ実証的に調べて考察せよというものだという。

そのような講義を受けている学生が法律家になるならば、これほどうれしいことはない。なぜならば法律の解釈や裁判の判決は、きわめて論理的に組み立てられるものだからだ。その意味で、判決文は数学的論証に他ならないという話を聞いたことがある。ムムッ、ということは、数学者の頭の中と法律家の頭の中は似かよっているということなのか？

やはり、文系と理系という二分法にはあまり意味がなさそうだ。知的好奇心があるかないか、論理的な考え方ができるかどうかは、そんな分類に関係のない、基本的素養なのだから。柔らかい頭で、人まねではないことをしよう。それぞまさに「コロンブスの卵」の実践である。

天の理を知る歓び

広大な宇宙の片隅でその起源について考えをめぐらす知恵と剛胆さを備えた生物種の一員にして、しかも天地創造の秘密を解き明かしたエレガントな理論がほぼ出そろった特別な世代に属するぼくらは幸運だという。

誰もがその重要さを知りながら、意外に軽視されがちなのが、冒頭の書き出しである。大上段に構えるべきか、さりげないエピソードから始めるべきか、大作であればあるほど、その選択は難しい。

イギリスの名うてのサイエンスライター、サイモン・シンは、「さらにすばらしいことに、ビッグバン・モデルは誰にでも理解できる」との挑戦状を突きつける。これはもう、先を読み進むしかないだろう。『ビッグバン宇宙論』[61]の、読者の自尊心をくすぐる書き出しである。

---

(60) 『中谷宇吉郎随筆集』(岩波文庫、一九八八)所収
(61) サイモン・シン『ビッグバン宇宙論』(青木薫訳、新潮社(上下)、二〇〇六)

ただしこの本は、宇宙創成を説明するビッグバン理論の解説書ではない。むろん、通読すればビッグバン理論の全容に触れることにはなる。しかし、そのような、いわゆる解説書はすでに数多存在する。サイモン・シンが同書で描きたかったのは、突飛ではあるが壮大な科学理論が想起され、紆余曲折を経て通説として定着してゆく過程、すなわち科学革命の一例としてのビッグバン理論だった。

革命的な科学理論がたどる運命は、最初は「ばかばかしい理論」としてスタートし、「もしかしたら正しいかもしれない」と受け入れられ始め、最後は「あたりまえの考え方」として定着するというものだ。

天文学における最大の科学革命は、地動説の受容だった。コペルニクスの地動説は、当初は無視された。なぜなら、無名のコペルニクスの説は常識に反しており、しかも当時主流の天動説に比べると、天体の動きを予測する精度が低かったからである。その当時にあっては、天動説のほうが合理的な考え方だったのだ。

地動説は最終的に勝利を収めたわけだが、ビッグバン理論も似たような道をたどった。そもそもこの理論は、アインシュタインの一般相対性理論をさらに一般化する過程で提案された。ただし提案者はアインシュタインではない。それどころか、永遠に存在してきた静的な宇宙という「常識」に縛られていたかの大天才は、後にビッグバン理論と呼ばれることになった「膨張する宇宙論」に、当初は異を唱えていた。

結局のところ、いかに革命的な理論でも、データによって実証されないことには定説として受け入れられはしない。それが実証されるには、観測技術の進歩を待たねばならない。データによって裏づけられても、難癖を付け、受け入れを頑なに拒む科学者は常に存在する。最終的には、守旧派世代の退席を待つしかないのだ。

ビッグバン理論で宇宙の謎のすべてが解けたわけではない。しかし、ビッグバン宇宙論は、人間の知性が達成しえた輝かしい知的到達点の一つである。したがって、その知的葛藤の歴史は大いに知る価値がある。だからこそこの本を書いたのだと、サイモン・シンは結んでいる。

天文学の歴史は暦作りに始まる。太古の昔から、人は天体を観測し、暦を作ってきた。古代中国の暦も、観測に基づく天文計算によって作成されていた。太陽の動きを基にした一年はきっちり三六五日というわけではなく、月の満ち欠けの周期もきっちり三〇日ではない。したがってどのような暦であれ、年ごとに補正する必要がある。より正確な観測データと新たな計算法が編み出されることで暦の作成法（暦法）も改正されていた。

日本では六世紀頃から中国の暦法が輸入されるようになった。しかし暦法の輸入は九世紀に途絶えた上にその方法は暦道を司る公家一族の秘伝となった。それ以後、徳川綱吉の代まで八〇〇年以上、暦の改正はなかった。そのため、暦と実際の現象とのずれが拡大していた。

そこに、改暦に立ち上がり、最新の暦研究と独自の観測・計算に基づいて「大和暦（貞享暦（じょうきょうれき））」を作り上げ、一六八五年施行に漕ぎつけた人物が登場した。冲方丁のベストセラー待望の映画化

「天地明察」[62]の主人公、安井算哲（後の渋川春海）である。

この映画にはぼくの琴線に触れるネタがいくつも登場する。まず冒頭のシーン。将軍や大名の囲碁指南役である算哲は、江戸城に登城する前に神社へと向かう。数学（算術）の難問を奉納した絵馬（算額）をチェックしたかったのだ。

算額は江戸時代に花開いた文化である。神社や寺の境内に難問を掲げることで、万人が算術を楽しんでいたのである。当時は算術を教える私塾もあった。

算哲は、囲碁を究めることのみに飽き足りず、算術や天文を学ぶことで知の渇きを癒していた。それらは単なる実学ではない。天の理を知ること自体が喜びだったのだ。

算哲の才能を見込んだ老中らが、新しい暦の作成を算哲に命じる。江戸幕府の地盤固めをする上でも、暦作成の権利を朝廷から取り上げる必要があったのだ。科学は力であり、その成果を独占することは権力の掌握につながりうるからだった。

天の理を知ることの喜びこそ、科学の原動力である。

貞享暦の採用から二三年後、屋久島にイタリア人宣教師シドッチが上陸した。しかしすぐに捕縛されて江戸に移送され、小石川（現在の文京区小日向）の切支丹屋敷に幽閉されることになった。その尋問にあたった儒学者新井白石とシドッチの邂逅を描いたのが、藤沢周平の小説『市塵』[63]である。その中に、地動説を教えられた白石が天空に思いを馳せるシーンがある。

白石はその説明ではじめて、茫邈（ぼうばく）とした天空に浮かぶ球体である地球というものを実感出来た気がしたのである。その地球は、いまも思い描けば青黒い宇宙のなかに日の光をうけて静かにうかんでいる。想像の中のその光景は、なぜか白石に思わず微笑したくなるような、たのしい気分をはこんで来るのだが、それが理というものが持つたのしさだということを、白石は理解していた。

藤沢周平『市塵』より

日々の生活にとって科学は何の役に立つかという問いに対する答を考えるとき、ぼくはいつも、この一節を思い浮かべる。

白石は、この密航者と取り調べを通じて心をかよわせ、シドッチが語ったカトリックの教義、西洋の歴史、地理、風俗、そして科学などを『西洋紀聞』[64]としてまとめた。この出会いは、やがて蘭学の興隆をもたらすことになった。

シドッチが幽閉されていた屋敷は切支丹屋敷と称され、現在の東京都文京区小日向の地にあった。

(62) 冲方丁『天地明察』(角川書店、二〇〇九／角川文庫、二〇一二)、映画は滝田洋二郎監督「天地明察」(二〇一二、日本)。
(63) 『市塵』(講談社、一九八九／講談社文庫、一九九一)
(64) 『西洋紀聞』(平凡社東洋文庫、一九六八)

そこは東京都の史跡に指定されており、小さな石碑だけが設置されている。個人的な話になるが、ひところ、そのあたりはぼくの散歩道だった。

あるとき、石碑と道をはさんだ駐車場跡地に高級マンション建設計画が持ち上がり、史跡周辺の景観保護を訴える住民の反対運動が始まった。それでもマンション建設は諒承され、複雑な事情を抱えたまま工事に先立つ発掘調査が開始された。切支丹屋敷の具体的な場所がその空き地だったのだ。

遺跡からは三体の遺骨が見つかった。江戸時代に死んだシドッチの遺骸は敷地内に埋葬されたと記した文献もあることから、遺骨の主はシドッチと、その世話をして洗礼を受けた日本人老夫婦である可能性が浮上した。

その遺骨の形態調査、DNA調査を主導した国立科学博物館の副館長（兼）人類研究部長の篠田謙一さんが、その詳細を『江戸の骨は語る』[65]で明かしている。篠田さんは、分子遺伝学という手法を用いて、縄文人など古人骨のDNA解析を行なうことで日本人の起源を探るほか、スペイン人侵略以前のアンデス先住民の古人骨も研究している。それらのDNAを解析することで、遺伝的な系譜のみならず、風俗や社会制度まで見えてくるというからすごい。

細胞中に存在するミトコンドリアは細胞のエネルギー工場的な役割をしており、独自の核をもち、母親だけから遺伝する。このDNAを解析すると、どういう人類集団に属するかがわかる。一方、細胞核のDNAを解析すれば、出身地の特定にまでつながる詳細な情報が得られる可能性がある。

切支丹屋敷人骨のミトコンドリアＤＮＡと核ＤＮＡを調査した結果、一体はイタリア、それもトスカーナ地方出身の男性で、残る二体は形態的な情報からも日本人の男女であることが確認された。最新の技術によって予測が裏づけられたのだ。著者によれば、今回のＤＮＡ解析は絶妙のタイミングだったという。一〇年前には核ＤＮＡ解析技術が追いついていなかったし、数年後ならＤＮＡは変成して検出不能だったというのだ。おまけに人骨が発掘された二〇一四年は、シドッチ没後三〇〇年という節目の年でもあった。そう考えると、シドッチが今に蘇ったのは、偶然であると同時に必然にも思えてくる。

骨に残るＤＮＡから、埋もれた歴史と無形の文化までもが蘇ってくる。逆にいうと、人類がたどってきた足跡が骨の髄にまで刻み込まれているのだ。

（65）　篠田謙一『江戸の骨は語る』（岩波書店、二〇一八）

4　天と地と海

空を見上げて

「土星が期待を裏切ることはめったにない」。占星術師を母にもった少年は、長じてそうつぶやくことになった。この一文に出合うだけでも、『ぼくはいつも星空を眺めていた』(66)は読む価値のある本だ。

古来、星は人を魅了し、惑わしてきた。かのガリレオは、土星は三つの惑星をもっていると発表した。しかしその二年後、土星が両脇に携えていたはずの二個の星は消えていた。むろんそれは、土星は環で囲まれていて、角度によって環が見えにくくなったせいだった。しかし科学の知識が星空の魅力を削ぐことはない。

著者のカリアはコネチカット州の森のそばに住む作家にして編集者。かつては天文少年だったが、大学生時代、学資の足しにするために、過去を売り払った。一二歳のときに買ってもらった天体望遠鏡を手放したのだ。以来四半世紀、星空を見上げることなく生きてきた。

初恋の相手との再会は、星がきれいという娘の一言だった。娘たちと見上げた星空は、9・11の殺伐とした光景で干からびた心を潤してくれた。昔の情熱をよみがえらせた著者は、裏庭に天体観測所を自作する。
この本は、建築を決意してから完成までの一年間を星座の移ろい、占星術師だった母との思い出、そしてもちろん、妻とのやりとりなどを交えて語った秀逸な科学エッセイなのである。星空ではなく、地上の気象、それも雨に思いを寄せる人もいる。

われわれは身勝手な存在である。たとえば、日照りの日には雨を乞い、じめつく梅雨時や大雨の折には雨を厭う。かと思うと、さまざまな思いを雨の歌に託す。それでいて、雨についてどれだけのことを知っているだろう。

アメリカの科学ジャーナリスト、シンシア・バーネットは、多雨の土地フロリダに生まれ、乾いた土地カリフォルニアで育った。そんな著者が精力的な取材と該博な知識を動員して書き上げた、雨をめぐる大叙事詩ともいうべき作品が『雨の自然誌』(67)である。

その筋立てをざっとたどってみよう。地球が水の惑星になったいきさつ、人類の文明がいかに雨に翻弄されたか、気象観測と天気予報、人工降雨、雨具の歴史、雨の文学等々。

アメリカの独立宣言を起草した第三代大統領ジェファソンは、科学や農業、建築に造詣が深く、

(66) チャールズ・レアード・カリア『ぼくはいつも星空を眺めていた——裏庭の天体観測所』(北澤和彦訳、ソフトバンククリエイティブ、二〇〇六)
(67) 『雨の自然誌』(東郷えりか訳、河出書房新社、二〇一六)

気象観測も行なっていた。しかしあこがれの高台に理想の家を建てたことで、最後まで水不足に祟(たた)られたという。そこは地域の平均降水量を大きく下回る場所だったのだ。科学的知識という理性と、夢の家という感性のせめぎ合いとでもいおうか、ちょっと皮肉だ。

建築家フランク・ロイド・ライトの逸話も皮肉だ。平らだったり緩い傾斜の屋根をもつ有機的建築の傑作は、どれもみな雨漏りがすることで悪名が高いというのだ。苦情に対しては、「だからこそ、それが屋根だとわかるのだ」と答えたとか。

雨にまつわるさまざまな文化も紹介されているが、本邦のてるてる坊主が紹介されていないのはいささか残念。

レインコートの歴史では、ハンフリー・ボガートやオードリー・ヘップバーンがその普及に大きく貢献したとか。どの映画かおわかりだろうか。答は読んでのお楽しみ。

雨の歌も取り上げられている。ただし歌手にしてノーベル文学賞詩人ボブ・ディランの「激しい雨が降る」は出てこない。とはいえ、これでもかとばかりの雨の蘊蓄話は大いに読み応えがある。

雨にこだわる人がいれば、雲にこだわる人もいる。雲鑑賞好きが高じ、なんと「雲を愛でる会」を結成してホームページまで立ち上げ、『「雲」の楽しみ方』[68]なる本を上梓してしまったイギリス人ギャヴィン・プレイター＝ピニーである。バードウォッチャーならぬ雲ウォッチャーにも市民権を、というわけだ。

ただしこの本は、単なる雲賛歌ではない。雲の分類を紹介すると同時に、古今東西の神話や伝承からハリウッド映画「未知との遭遇」[69]における雲の特殊撮影に至るまで、眼から鱗の蘊蓄がこれでもかとばかりに満載されている。さらに話題は、雲をめぐる科学的な説明から地球温暖化にまで及ぶ。しかも、例の出し方や比喩の用い方の塩梅が絶妙。

誰にも、雲にまつわる思い出が一つくらいはある。そのときに遭遇した気象現象を勝手にロマンチックに解釈するのもいいが、科学的な説明を知るのも悪くない。そのせいで、思い出がもっと輝くかもしれないではないか。

科学の知識があれば人生はさらに楽しい。そんなことを実感させられる。

無限に続くよどこまでも

三月一四日が「ホワイトデー」というのは日本だけ。米国では円周率π（パイ）の日である。なぜなら三・一四なのだから。

そもそもの始まりは、ある年のこの日、サンフランシスコの体験型科学館エクスプロラトリアムで、無理数πをめぐる体験イベントが開始されたことだった。最後はみんなでパイをカットして食べるお楽しみも。

（68）ギャヴィン・プレイター＝ピニー『「雲」の楽しみ方』（桃井緑美子訳、河出書房新社、二〇〇七）

（69）スティーヴン・スピルバーグ監督「未知との遭遇」（一九七七、アメリカ）

その後、科学・技術・工学・数学（ＳＴＥＭ）教育への危機感が高まったこともあり、二〇〇九年に連邦下院が、この日を「全米πの日」に選定したようだ。ただし特別な拘束力はない。

しかし３Ｄ映画「ライフ・オブ・パイ／トラと漂流した二二七日」[70]の主人公にとって、πは魔法の記号である。本名ピシンはフランス語ではプールという意味。ところが英語では「おしっこをする」（ピシング）に通じる。そのことで小学校でいじめられたため、中学校進学時に一計を案じる。最初の自己紹介で黒板に「３・１４１５９２……」と書き連ね、πをそらんじるぼくのことはパイと呼んでくれと先手を打ったのだ。πの威力は絶大だ。

しかしこの映画の本筋はそこではない。インド東部の旧フランス領ポンディシェリで動物園を営んでいた一家は、カナダへの移住を決意する。動物は、アメリカ各地の動物園に売却することに。動物といっしょに日本の貨物船に乗り込み、太平洋を横断する航海が始まる。船内はさながらノアの方舟状態だ。しかし、方舟はマニラを出て四日後、あっけなく沈んでしまう。

救命ボートには、パイと、なぜか檻を抜け出してボートに乗船した動物が。それも、ネズミ、シマウマ、オランウータン、ブチハイエナ、そしてベンガルトラというありえない顔ぶれ。むろん、強いものだけが生き残るはずだ。セオリーどおりならトラだけが。しかしなんと、パイとトラとの漂流が始まる。ありえないと思いつつも、つい引き込まれる映像美。３Ｄとコンピュータグラフィックスの一つの到達点だ。

パイは、動物行動学の知識を動員し、トラの優位に立とうとする。そしてさらなる「ありえない」出来事を経て、ボートはメキシコに流れ着く。

ただし、助かる条件はそろっていたのかもしれない。パイは本名どおり水泳が得意で動物の調教にも通じていた。しかもヒンズー教、イスラム教、キリスト教すべてに帰依していた⁉ それでいて合理的で機転がきく。

保険会社の調査でも、事の真相はわからない。ボートに同乗していたのは動物ではなく、母親と船員だったという可能性も……

とにかく、見る側の先入観をことごとく打ち砕く映画だ。それも最後の意表を突くどんでん返しまで。それでいてきわめて哲学的な映画である。原作をあわせて読むとなおさら味わい深い。

そのパイが漂流した海は、宇宙にも比肩する未知の世界だ。

大地と海の深淵

ドイツの小説家シェッツィングは、深海で誕生した単細胞の知的生命体の群れがさまざまな異常現象を引き起こし、人類が危機に陥るというスリリングな海洋冒険超大作『深海のYrr（イール）』(71)によっ

(70) アン・リー監督「ライフ・オブ・パイ／トラと漂流した二二七日」(二〇一二、アメリカ)。原作は、ヤン・マーテル『パイの物語』(唐沢則幸訳、竹書房、二〇〇四／竹書房文庫（上下）、二〇一二)。

(71) フランク・シェッツィング『深海のYrr（イール）』(北川和代訳、ハヤカワ文庫NV(上中下)、二〇〇八)

てベストセラー作家となった。そのシェッツィングは、周到な予備調査を踏まえて書き上げたそのＳＦ大作の余勢を駆って、一五〇ページ程度の軽いノンフィクションを書くはずだった。ところが、補足調査を進めるうちに構想が拡大し、結局は海の誕生から生命の進化、果ては海洋開発の将来にまで筆が進み、邦訳書にして六〇〇ページを超える大冊を送り出すことになった。[72]

なるほど、最新の情報は加味されているものの、地球における海の誕生、そこでの生命の起源、三十数億年に及ぶ生物の進化など、紹介されている歴史の筋書きは取り立てて目新しいものではない。しかし、ドイツのマイクル・クライトンとでも言うべき著者の本領は、集めた素材をさばく語り口の巧みさ新鮮さにある。したがって本の厚さなど、さほど気にならない。一言でいえば軽妙洒脱、そしていい意味での居直りに徹している点がすばらしい。それでこそ、科学者ではない書き手が科学を語る意味がある。

たとえば著者は次のように言い切る。「この本は教科書ではない。（中略）これはスリラー小説だ。地球の歴史というのは、筋書きが何度も急展開し予期しない出来事でいっぱいの、ハラハラドキドキさせる物語にほかならない。」たしかに、面白い話を無味乾燥な語り口で語るのは、むしろ罪作りなだけだ。

それと、「あなたがこの本で絶対的な真理を見つけることはないだろう。そこで見つけるのは、おそらくこうではないかという物語」だという著者の宣言も、きわめてまっとうである。なぜなら、科学は絶対ではないからだ。

たとえば生物が進化した経路にしても、これまでに見つかっている化石や、DNAから得られるデータなどを継ぎ合わせることで、とりあえずの筋書きが作られている。これは正しい科学の方法だ。しかし、明日にでも予想を覆すような化石が見つかれば、それまでの筋書きががらりと変更される余地は大いにある。科学とは、そのように客観的な証拠を基に絶えず理論を修正していく作業なのだ。

同書の主役は海である。最大で深さが一万メートルを超える深海の大半は未知の世界だ。人類は月面に到達したが、日本が世界に誇る有人潜水調査船「しんかい6500」をもってしても、六五〇〇メートルの深さまでしか潜れない。そこには、著者が言うように、伝説の巨大ウミヘビが潜んでいるかもしれない。科学者だけでなく、小説家の探求心を駆り立てるわけだ。

海が未知の世界なら、地中もまた然り。

ウーズ、ワクスマン、ダーウィンという三人の科学者の名を聞いて、その共通点をただちに理解できる人は、まずいないだろう。いずれも知的革命を起こした偉大な生物学者なのだが、一人を除き、一般には名前さえ知られていない。

三人の共通点は、それぞれの研究対象がアーキア（古細菌）、ストレプトミケス、ミミズという地中生物だということにある。

かつては古細菌と呼ばれていたアーキアは、原始生命体の生き残りで、現在は高熱の温泉、地底、深海、油田などといった極限的な環境に生息している。ウーズは、アーキアの研究を基に、生命の系統樹を根底から覆す大発見をした微生物学者なのである。

ストレプトミケスというのは土中に生息する放線菌（細菌）の一種なのだが、ストレプトマイシンの生産者と言ったほうがわかりやすいだろう。この、人類が初めて手に入れた結核治療薬の発見者がワクスマンである。

ダーウィンはあのダーウィンだが、彼の終生にわたる最愛の生きものはミミズだった。[73] 矮小な存在であるにもかかわらず、土を掘り返し、巨大な礎石をもいずれは土中に埋め込んでしまうミミズの働きに、ダーウィンは生命の輪廻を見ていた。[74]

コーネル大学の生態学者デヴィッド・ウォルフの著書『地中生命の驚異』[75]の真の主役は、土中に生息する多種多様な微生物や、地中を耕すプレーリードッグたちであり、その知られざる生態を紹介するというのが同書のテーマではある。しかし、自身、土壌生態学者である著者にとっては、いうなれば泥臭い仕事から偉大な知的貢献をしたこの三人こそが、まさにヒーローなのだろう。その業績の紹介にも、自ずと力が入る。

自然界の不思議を共感させてくれるのは詩人の仕事だが、知的好奇心を満たしてもらうにはサイエンスライターの仲介が必要である。芸術ばかりでなく、科学も文化なのだ。ただし、大草原の開墾者たるプレーリードッグを虐殺したり、本人の意に反してダーウィンの遺体を大聖堂に埋葬してミミズから隔離したりする所業もまた、人間文化のなせる業ではある。

(72) フランク・シェッツィング『知られざる宇宙――海の中のタイムトラベル』(鹿沼博史訳、大月書店、二〇〇七)
(73) チャールズ・ダーウィン『ミミズと土』(渡辺弘之訳、平凡社ライブラリー、一九九四)/『ミミズによる腐植土の形成』(渡辺政隆訳、光文社古典新訳文庫、二〇二〇)
(74) アダム・フィリップス『ダーウィンのミミズ、フロイトの悪夢』(渡辺政隆訳、みすず書房、二〇〇六)
(75) デヴィッド・W・ウォルフ『地中生命の驚異――秘められた自然誌』(長野敬・赤松眞紀訳、青土社、二〇〇三)

5 想像力の挑戦

もしもの世界

一九六二年、衝撃的な本が世に送り出された。その書名は『沈黙の春』[76]。著者は、アメリカの海洋生物学者にして作家レイチェル・カーソン。

農薬の乱用が環境を破壊し、春になっても鳥が囀らない世界を作り出しつつある。そう警鐘を鳴らしたことで、人類の破壊行為に警告を発した歴史的な名著である。

しかし、環境破壊の原因は農薬による汚染だけではない。化石燃料の大量消費による大気中二酸化炭素濃度の上昇や、フロンガスによるオゾン層破壊などもそうだ。いうなれば、人類の存在そのものが、地球環境の破壊をもたらしている。

その点を痛烈に思い知らせてくれるのが、アメリカのジャーナリスト、アラン・ワイズマンが著した『人類が消えた世界』[77]である。そのメッセージは『沈黙の春』にも劣らない。

ただしこの本では、件の古典的名著とは視点が逆転されている。なぜなら、春が来ても歌を歌わなくなるのは鳥ではなく人類のほうだとしたらどうなるかという逆転の発想から出発しているのだ。

原因はなんでもいい。仮に人類が突如として姿を消したとしたら地球はどうなるか。そういう仮

想実験、思考実験が展開されているのである。

人類そのものによる破壊行為は消滅する。その一方で、残された人造建築物の補修をする者がいなくなるため、急速な崩壊が進む。

排水装置が停止したマンハッタンの地下鉄は数日で完全に水没する。ハドソン川にかかる鋼鉄の橋は紫外線と塩水にさらされて錆び、やがて崩壊する。マンハッタン島はかつての湿地に戻り、ヘラジカが戻ってくるかもしれない。

一見平和な世界の復活にも見える。しかし、人類が残した爪跡は、そうたやすく消え去るものではない。

大量に生産されたプラスチックやビニールゴミなどが、いつまでも重いつけを残す。微小なプラスチック粒は、顕微鏡サイズのプランクトンの体内にまで取り込まれており、それが食物連鎖の各段階で及ぼす悪影響は未知数である。

崩壊しつつある人造物のそこかしこから火の手が上がり、製油所や石油タンクなども炎に包まれる。その結果、大気は黒煙で包まれることだろう。原子力発電所も無傷のまま残るはずがない。まさに「核の冬」の到来である。日差しはさえぎられ、気温も低下する。放射能の影響も出る。果たしてこれはただの仮想実験なのか。不自然な文明はじつに脆弱な基盤の上に築かれていることを思い知らされる。

じつはこのワイズマン、仮想実験に留まらず、現実問題にも取り組み、同書出版の六年後に『滅亡へのカウントダウン』[78]と題した本を上梓した。

かつてこの惑星を「宇宙船地球号」と呼び、限りある資源をうまく活用しないと自爆するぞと警告した賢人がいた[79]。その警句もいつの間にか忘れられ、今われわれはまた、破滅へと突き進みつつあるのだろうか。

気候変動、砂漠化、化石燃料や水資源の枯渇、中国の大気汚染、人口爆発、宗教・民族対立など、懸念材料だらけだ。

ワイズマンは、その元凶を人口爆発と特定して世界二一カ国を取材した。取材時点での世界人口は七〇億超だった。「もしも人類がこのまま軌道修正しなければ、二一〇〇年の世界人口は一〇〇億以上になるだろう」とワイズマンは警告する。

かつて経済学者や為政者たちは、経済発展、富国強兵には人口増しかないと信じ、そのための政策を採った。だがそれは、乳幼児死亡率が高いうちのこと。人口が増える一方で食糧生産、経済発展が追いつかなければ、増えた人口を支えられなくなる。高収量作物の開発は一時的には有効だが、結局はさらなる人口増をもたらす。それがパキスタンやインド、アフリカ諸国の窮状だ。

あふれた若者は職に就けず暴徒予備軍となる。労働力不足に悩む先進国に移住しても、景気が後退すれば深刻な移民問題の元となる。

ではどうする。強制的な産児制限は禁じ手である。インドのインディラ・ガンジー政権は、強制的な断種手術を強行して瓦解した。

だが、発展途上国の女性が自分の意思で避妊できるようになれば人口増にブレーキがかかる。そのために必要なのは、女性の教育と安価で安全な避妊手段の提供だという。

(76) レイチェル・カーソン『沈黙の春』(青樹簗一訳、新潮文庫、一九七四／『生と死の妙薬——自然均衡の破壊者〈化学薬品〉』青樹簗一訳、新潮社、一九六四)

(77) アラン・ワイズマン『人類が消えた世界』(鬼澤忍訳、早川書房、二〇〇八／ハヤカワ文庫NF、二〇〇九)

(78) アラン・ワイズマン『滅亡へのカウントダウン——人口危機と地球の未来』(鬼澤忍訳、早川書房(上下)、二〇一三／ハヤカワ文庫NF(上下)、二〇一七)

(79) バックミンスター・フラー『宇宙船地球号操縦マニュアル』(芹沢高志訳、ちくま学芸文庫、二〇〇〇)

ワイズマンは、日本は人口が減り始めた初めての先進国だと言う。しかも大震災を経て、日本人の多くは物欲を断ち切った。もしかしたら今の日本こそ、宇宙船地球号の模範的乗員として範を示せる立場にあるのかもしれない。目先の人気取りの政策に踊らされることなく、未来を見据えた正しい選択をすることで。希望はまだ残されていると信じたい。

黙示録

終末を描いた映画は数多い。終末をもたらす原因はほぼ二つ。一つは核戦争など、人類自らの愚行。もう一つは巨大隕石の衝突といった外因。いずれも荒唐無稽とは言い切れないところが恐ろしい。

およそ六五〇〇万年前に起きた恐竜の絶滅は、巨大隕石の衝突が主因とされている。一九八〇年に提唱された当初は異論も多かったが、その後、メキシコのユカタン半島でそれとおぼしき隕石の衝突跡が発見された。

巨大隕石の衝突で大量の粉塵が大気中に舞い上がり、日光を遮って地球は急激に寒冷化して大量絶滅が起こったというシナリオである。

そのような大量絶滅は、地球の歴史上何度か起きてきた。すべての原因が隕石衝突とは限らない。しかし定期的なものだったとしたら、巨大隕石を地球に向けて発射してきた時計仕掛けが宇宙に存在すると考えたくなる。

その仕掛けとして、地球と対をなす未知の惑星が存在するという仮説も出された。その惑星には、ギリシャ神話の破壊神にちなんでネメシスという名前まで提案された。

このネメシス仮説はその後否定されたが、未知の惑星が地球に鉄槌を下すという恐怖のシナリオは不気味だ。[80]

太陽の陰に隠れていた惑星が突如姿を現し、地球と交差するかもしれない軌道を進み出した。メランコリアと名づけられたその惑星は、接近するにつれて大きさを増し、夜空には二つの「月」が昇るようになる。

メランコリアはネメシスなのか、それともそのまま遠ざかって杞憂に終わるのか。デンマークの鬼才ラース・フォン・トリアー監督が「メランコリア」[81]で採用した舞台設定がこれだ。

地球の終末を描いた映画なのに、主要な登場人物は少ない。まさにメランコリア（鬱）気質の奇矯な妹と、それを支える気丈な姉の対比が物語の中心となる。

古来、月の満ち欠けが人の心に影を射すという俗信があった。彗星の出現も不吉な前兆とされた。人智の及ばない天体現象に人は無力な存在だ。

（80）ネメシス説については、デイヴィッド・ラウプ『ネメシス騒動――恐竜絶滅をめぐる物語と科学のあり方』（渡辺政隆訳、平河出版社、一九九〇）に詳しい。

（81）ラース・フォン・トリアー監督「メランコリア」（二〇一一、デンマーク）

迫りくるメランコリアに対して、科学者の予測は定まらない。映画は、俗世間から隔絶された姉夫婦の城のような邸宅のみで進行する。軌道は逸れるという楽観論にすがるしかないが、不安はつのるばかり。

恐竜は、迫り来る巨大隕石をなすすべもなく見上げていたはずだ。人類なら立ち向かうべきだと考えるのはハリウッド映画の発想だろう。事実、ハリウッドは「ディープ・インパクト」[82]と「アルマゲドン」[83]で隕石に立ち向かっている。

しかしこの映画の主題は人の心理であり、科学的な味付けは現実味を与えるための舞台装置にすぎない。映画は事態を諦観する妹の主導で静かな終わりを迎える。

現実世界とは別に、もう一つの並行世界（パラレルワールド）が存在する。ＳＦでおなじみの設定である。

村上春樹の『１Ｑ８４』[84]には二つの月が出現するが、映画「アナザープラネット」[85]では、空にもう一つの地球が出現する。それも月まで従えて。これもありきたりな設定だが、ハリウッド映画ではなくインディペンデント映画である点が味噌。

そもそも、監督マイク・ケイヒルと主演女優ブリット・マーリングの会話から発想され、監督のホームタウンで地の利を活かして低予算で制作された作品だという。なので、重力異常など、地球規模の異変を描く努力はいっさい省略。その分、本筋に集中できる。

ローダは、一七歳で名門マサチューセッツ工科大学に合格し、幸福の絶頂にあった。しかし、

「夜空の地球」を見上げながらの飲酒運転で奈落の底に。幸福な一家の生活を破壊し、自分の将来も棒に振ってしまったのだ。

四年間の服役生活を終えたローダは、妊娠中の妻と五歳の息子を失い、自身も生死をさ迷った末に酒におぼれる被害者男性ジョン（ウィリアム・メイポーザー）への謝罪を思い立つ。

しかし、謝罪に訪れたものの、自分が加害者だとは告げられないまま、清掃サービスの派遣社員を装って男の自宅に通うようになる。部屋がきれいになるにつれて、男の生活も改善されてゆき、やがて二人は愛し合うように。

その矢先、もう一つの地球でもこちらの地球と同じ人物が生活していることが判明する。夢を失い、罪の意識にさいなまれるローダは、向こうの地球に人を送り込む計画に応募する。

向こうの自分も飲酒運転事故の加害者なのだろうか。もしかしてあちらでは事故は起きていないかもしれない。だとしたらジョンの妻子も生きているかも。あちらの地球に行くべきは自分なのか、

(82) ミミ・レダー監督「ディープ・インパクト」（一九九八、アメリカ）
(83) マイケル・ベイ監督「アルマゲドン」（一九九八、アメリカ）
(84) 村上春樹『1Q84』（新潮社〈BOOK1―3〉、二〇〇九―二〇一〇／新潮文庫〈全六冊〉、二〇一二）
(85) マイク・ケイヒル監督「アナザープラネット」（二〇一一、アメリカ）

それともジョンなのか。

映画はローダの周辺を描きながら淡々と進む。全体を覆う鬱々としたトーンがローダのやるせない気持ちとマッチした秀作である。

本作品は、ロバート・レッドフォードが主催するサンダンス映画祭で審査員特別賞とスローン賞に輝いた。

スローン賞とは、前述(3章)したように、科学技術と数学あるいはその研究者を素材にした映画を対象とした賞である。スポンサーは、ゼネラルモーターズ中興の祖アルフレッド・P・スローンが、科学技術を社会に普及する目的で一九三四年に創設した財団である。

同財団は、科学書出版や、科学技術・数学者を素材にした演劇への資金援助にも力を入れている。映画の場合、製作費支援には巨額の資金がいる。なので節約のため、脚本や作品を顕彰することにしたのだ。

その結果、SF巨編ではなく、奇人変人でもない等身大の科学技術・数学者も素材として面白いと思う映画人が増え、作品数も着実に増えた。科学と映画の間合いを埋める努力が成功した好例である。

科学者がはまる落とし穴

かつての少年漫画雑誌には、色違いの紙に印刷された「読み物」コーナーが必ずあった。そこで語られるのは、超常現象や超能力、幽霊話、あるいはUFO物と相場が決まっていた。そういうわけでぼくらの世代はたいていみな、その種の現象にはけっこう詳しい。アメリカの人気テレビドラマ「X-ファイル」[86]に対する免疫ができていた世代だ。

とはいえ、そんな「読み物」は所詮子どもだましであり、その中身については疑心暗鬼だった。まさか、そこに掲載されていた不鮮明な白黒写真の、霊媒の口から現れているなにやら得体の知れない白い物体エクトプラズムの名付け親が、こともあろうにノーベル賞受賞者だったとは露とも知らなかった。つまり、偉い科学者が大まじめで議論していたとは思ってもいなかったのだ。

そういうわけでぼく自身は、少年漫画雑誌で親しんだ程度で、心霊現象や超心理学の歴史には疎い人間である。それでも心霊現象との関連でいえば、人はなぜ不確実なものに惹かれるかという点で興味がある。

科学の力を信奉する者としては、科学は絶対だと言い切りたいところだ。しかし、実際にはそうではない。科学とは科学者コミュニティ内の約束事にしたがって自然界の謎を解明していく作業である。その際の約束事とは、たとえば仮説検証という方法である。仮説を立て、それに合う事実や実験を行ない、仮説を証明するのだ。その過程で仮説に合わない事実や実験結果が得られたなら、

(86) 一九九三年から二〇〇二年にかけてアメリカで制作された人気ドラマ。二人のFBI捜査官が、怪奇現象の捜査にあたるという筋立て。

その仮説は放棄し、新たな仮説を立てる。

科学と宗教が異なる点はここにある。すなわち宗教では中心となる教義を否定することはないが、科学はいかに多くの人が信じていた説であろうと、反証されたならばあっさりと捨てなければならない。霊媒を通じて霊界すなわち死後の世界と交信できるとする心霊主義も、一種の宗教と言える。

ところがそのような科学の潔さが裏目に出る場合もある。科学では何でも証明できると思われがちな点である。その結果、逆に科学で否定されていないことは正しいという誤解を生じかねない。あるいは、科学の成果と謳われていれば、何でもよいものという印象を与えかねない。疑似科学と呼ばれるものは、たいていその類にあたる。

アメリカのサイエンスライター、デボラ・ブラムは、『幽霊を捕まえようとした科学者たち』[87]で、心霊現象に関する研究が最も盛んに行なわれていた時代の研究者群像を描いている。その中心となっている人物はウィリアム・ジェイムズ。一般には、アメリカにおける実験心理学の創始者の一人であり、プラグマティズムの普及にも貢献した人物と説明される。イギリスで活躍した小説家ヘンリー・ジェイムズの兄でもある。しかしウィリアム・ジェイムズには、一般の人物紹介では触れられない一面もあった。それが、生涯にわたる心霊研究である。

心霊研究とは、必ずしも心霊現象と呼ばれる現象を信じることではない。心霊現象を客観的に調査することで、生と死にまつわる不安や生きるということの意味に答を出そうという運動である。

心霊研究は、一八八二年のイギリス心霊現象研究協会の創設によって正式に開始された。主だった創設者は、ケンブリッジ大学教授の倫理学者ヘンリー・シジウィック、同じくケンブリッジ大学教授で哲学者のフレデリック・マイヤーズ、資産家のエドマンド・ガーニーの三人だった。この三人はなぜ、心霊研究に走ったのだろう。

一九世紀後半のイギリスは、科学と宗教との関係で揺れていた。科学者を意味するサイエンティストという単語が提唱されたのは一八三四年のことだった。それまでは自然哲学者とか「科学の人（マン・オブ・サイエンス）」などと呼ばれていた研究者を、アートに従事する人はアーティストなのだから、科学に従事する人はサイエンティストと呼ぼうと提唱されたのだ。職業的科学者が出始めていたという時代背景もあった。

ただし当時の科学者の使命は、自然の法則を発見することで神の叡智を知ることにあった。そもそもケンブリッジ大学やオックスフォード大学の教授連は、英国国教会の聖職者でもあったのだから、神の存在を疑うことなど問題外だったのだ。

そうした伝統に激震を与えたのが、一八五九年に出版された『種の起源』[88]だった。その中で著者チャールズ・ダーウィンは、すべての生物は原始的な生物から進化してきたと説いていたものの、人間の祖先が猿だったとは一言も触れていない。しかし、その書に目を通した人々は、隠しようの

（87）『幽霊を捕まえようとした科学者たち』（鈴木恵訳、文藝春秋、二〇〇七／文春文庫、二〇一〇）

（88）チャールズ・ダーウィン『種の起源』（渡辺政隆訳、前出注13）

ないメッセージをただちに了解した。

ヨーロッパの人々は、一九世紀に入り、オランウータン、チンパンジー、ゴリラなどの大型類人猿に初めて接する機会や情報を得た。その容貌や仕草が人間に似ていることは否定しようがない。だが、エドガー・アラン・ポーが一八四一年に『モルグ街の殺人』[89]で描いたように、その獣性もまた否定しがたい。人々の心には、類人猿と人間との類縁関係に関する疑念がくすぶっていた。

それでも、人間はあくまでも神によって個別に創造された存在であるとの信念だけが救いだった。

そんな一縷の望みを断ち切ったのがダーウィンの『種の起源』だったのだ。

人間も獣から進化したのだとしたら、人間だけが神から授けられたとされる倫理観の根拠が失われてしまう。そんな唯物論の下では宗教も意味をなさない。それが、ダーウィンが宣告した新時代の哲学だったのだ。

しかし、懊悩の末にダーウィン流唯物論に異を唱えた人物がいた。一八五八年にダーウィンと共に自然淘汰説を同時発表したナチュラリスト（自然史学者）アルフレッド・ウォレスである。

ウォレスは、その名も『ダーウィニズム』と題した著書を出版することでダーウィン進化論を擁護していた。しかし、人間の脳だけは、自然淘汰で進化したとは説明できない。何らかの、もっと高次の力が作用したにちがいないと考えるようになっていた。その結果、「産湯を流そうとして赤子まで流してしまわないように」という非難めいた忠告をダーウィンから投げつけられてもいた。

それでもウォレスは、一八六〇年代に入ると本格的に心霊主義にのめり込み、自ら主催する降霊会に高名な科学者を招き、心霊現象の正統さを証明してもらおうとした。大気中での太陽光の散乱などのティンダル現象を発見したジョン・ティンダル、レントゲンの発明につながったクルックス管を発明したウィリアム・クルックスなどといった面々である。

あるいは、ダーウィニズム擁護の同志だったトマス・ハクスリーにも声をかけたが、大の宗教嫌いで筋金入りの科学的唯物論者だったハクスリーには一蹴されてしまった。ハクスリーは、確たる証拠のないことは疑うのが正しい態度であるとの立場を表明し、それを「不可知論」と名づけた。神の存在も霊の存在も、証拠がない以上、その存在を疑ってかかるしかないというのだ。

しかしそのハクスリーも、一度だけ自ら降霊会を主催したことがあった。かつて自ら番犬（ブルドッグ）を名乗って親衛隊長役を務めたダーウィンを再び守るために、一八七四年に一役買うことになったのだ。

事の起こりはチャールズ・ダーウィンの兄エラズマスにあった。生活費を心配しなくてもよい高等遊民としてロンドンの知的サークルで社交生活を送っていたエラズマスが、降霊会の虜になっていたのだ。その年、エラズマスは、田舎で蟄居生活を送っていた弟がロンドンに上京したのを機に、チャールズ・ウィリアムズという名の霊媒を雇って自宅で開催した降霊会に無理矢理引きずり出した。気が進まないダーウィンは、最も信頼できる友ハクスリーの同席を条件に、参加を承諾した。

（89）『黒猫／モルグ街の殺人』（小川高義訳、光文社古典新訳文庫、二〇〇六）

しかし、体調不良のため気力も体力も弱っていたダーウィンは、重苦しい場の雰囲気に耐えきれず、「霊」が現れる前に退席した。

ダーウィン抜きで再開された降霊会では、食卓が持ち上がり、最後は椅子が食卓の上に乗って終わったという。その話を聞いたダーウィンは、不可知論の信念を失いかねないほど動揺した。そこでハクスリーが同じ霊媒による降霊会を改めて手配し、今度は自分が霊媒の隣に座って監視する役を積極的に引き受け、その霊媒のいかさまを暴いたのだ。

だが、いくらいかさまを暴こうとも、一人でも真の霊媒がいるとしたら、心霊現象を完全否定することはできない。存在しないことを証明することは、科学をもってしても不可能である。人々はそこに希望をつなぐ。

ケンブリッジ大学で学んでいた頃のダーウィンは、いずれは牧師にでもなって大好きな自然史学の研究に耽るつもりでいた。しかしイギリス海軍の測量船ビーグル号に乗船して世界を周航した五年間の経験で、地上の生きもののすべては神が個別に創造したものだという創造説に疑いを抱くに至った。すべての生きものは共通の祖先から少しずつゆっくりと変わりながら枝分かれすることで多様化してきたという進化論こそが正しいと信じるようになったのだ。

しかし、その代償は大きかった。神の存在を疑うことは、夭折した愛娘とも、最愛の妻とも、死後の世界で再会できないことを意味する。しかし、すべての生物は変わるし、永遠の生命など存在しないというのが、ダーウィン進化論の帰結だった。ダーウィンが予想したように、その考えは社会に大きな衝撃を与え、心霊主義まで招来したのだから皮肉である。

近代科学は人々に唯物論の選択を迫ってきたが、その一方でなんとなく心が満たされないという思いを残してきたこともたしかである。そうした心の空白を満たすのは、科学ではなく、むしろ宗教や哲学の領域だろう。そのことは、敬虔なキリスト教徒で優れた科学者も多くいることからもわかる。

だとすると、霊的なものへの傾倒の背後には、むしろ科学に対する不信感があるのかもしれない。ブラムは、「大衆の信じることに科学者が敬意を払わないなら、大衆が科学者の意見に敬意を払わないのも当然だ」というウィリアム・ジェイムズの言葉を紹介している。一〇〇年以上を経た現在においても、この警告は的を射ている。科学と社会をめぐる状況は、さして改善されていないようだ。

デボラ・ブラムは、結論めいたことは述べていない。錚々たる科学者が心霊現象に挑戦した歴史の背後には科学万能主義という科学者の慢心もあったのだろう。価値観や倫理観は科学では測れないし、証明などなおのことおぼつかない。社会不安が広がると心霊主義やオカルトが台頭するという歴史を理解することは、科学と社会とのあり方を考え直す上でも重要なことだ。名うてのサイエンスライターであるデボラ・ブラムがあえてこのテーマに取り組んだ理由を、ぼくはそう推理するのだがどうだろうか。

魂を量る

残念ながら科学には、「真実はそこにある」という断言ができない。すべてのグレーゾーンをぬぐい去ることなどできはしないからだ。

たとえば、魂の存在を証明するにはどうすればよいだろう。一つの方法は、魂に重さがあるかどうかを確認することかもしれない。重さが確認できたなら、それは魂が存在することの傍証となる。この課題に挑んだ科学者たちを紹介しているのが、『魂の重さの量り方』[90]である。

そこで、魂の重さを量るにはどうすればよいか。アメリカのさる医師は、一九〇一年に一つの実験を試みた。臨終の床にある患者をベッドごと秤に乗せたのだ。その結果、死亡直後の重量減は、およそ二一グラムと計測された。これが魂の重さなのか。

その医師は、たぶんそうだと考えた。それでも彼は、科学的な検証作業を続行した。魂の重さを量ったという自分の観察が間違っている可能性を否定すべく、実験を重ねたのである（機会は少なかったが）。しかし、実験結果はまちまちだった。しかも、犬を用いた実験では、死後における重量変化はいっさい認められなかったという。犬には魂がないということなのか。

その後、精度を高めた動物実験が何度か試みられたこともあったが、結局、魂に重さがある可能性（仮説）は、否定も肯定もされなかった。そもそも、死後の重量変化があったとしても、それが即、魂の重さとは限らない。あるいは、魂には重さがあるという仮説が否定されたとしても、魂の存在を否定したことにはならない。科学とはそうしたもので、仮説を検証する方法は提供するが、

その仮説が否定されたからといって、魂は存在するという信念体系を覆すことにはならないのだ。

科学もまた、仮説検証という方法論に立脚した一つの信念体系である。なればこそ、別個の信念体系に属する科学と宗教の両立も可能なのだ。

信念体系をかけて戦う戦士役にはシガニー・ウィーヴァーがぴったりだ。出世作の「エイリアン」のイメージが強いせいだろう。「愛は霧のかなたに」でも、ゴリラの密猟者と戦う姿が凛々しかった（2章参照）。

映画「レッド・ライト」[91]で相手にする敵は、ロバート・デ・ニーロ演じる伝説の霊能者シルバー。超能力は、最もわかりやすいトンデモ科学だ。

ウィーヴァー演じるマーガレットは、「超自然現象」の嘘を暴くことに専心する物理学者である。しかしその一方で、四歳で植物人間となった息子を三〇年以上も延命させていることの後ろめたさに悩んでいる。死後の世界を信じられないからだという不思議な言い訳を盾に。

その助手のトムは、物理学者として将来有望だったのに、なぜかマーガレットの研究に付き従っている。その謎は最後に明かされるのだが、映画の冒頭に伏線が敷かれている。最後まで大仰な展開は良くも悪くも、いかにもハリウッド的である。

超能力・霊能者暴きはむなしいモグラ叩きである。なぜなら、いんちき霊媒師の正体を暴いても、超能力や心霊現象の不在を証明したことにはならないからだ。存在しないことは証明できない。したがって次々と現れる自称超能力者・霊媒師の嘘を一つひとつ叩いていくしかない。

それに対して霊能者たちは「白いカラス」という屁理屈をもちだす。一人でも本物の霊能者や超能力者、ここで言う「白いカラス」という例外がいたら、超能力の存在は証明されたことになるというのだ。

論理的にはそれで正しい。しかしそれが「本物」であることはどうやって証明するのだろう。「本物」を自称する霊能者たちは、自分の嘘を科学的に暴いてみろと科学者に迫る。じつはここに落とし穴がある。相手の土俵に上がっては負けなのだ。

イカサマ師たちは、相手の心の弱みに付け込む。付け込まれるカモがいる限り、世にイカサマの種は尽きない。

映画「トリック劇場版[92]」（二〇〇二年）の仲間由紀恵よろしく、「お前のやったことは全てお見通しだ！」と言い放つか、「アナと雪の女王[93]」（二〇一三年）のエルサのように、「レット・イット・ゴー」と唱えて相手にしないのが賢明かもしれない。

---

(90) レン・フィッシャー『魂の重さの量り方』（林一訳、新潮社、二〇〇五／『魂の重さは何グラム？——科学を揺るがした7つの実験』林一訳、新潮文庫、二〇〇九）
(91) ロドリゴ・コルテス監督「レッド・ライト」（二〇一二、アメリカ、スペイン）
(92) 堤幸彦監督「トリック劇場版」（二〇〇二、日本）
(93) クリス・バック、ジェニファー・リー監督「アナと雪の女王」（二〇一三、アメリカ）

6　未来を駆ける青春

等身大のヒーロー

ミュージカル映画にもなった童話『オズの魔法使い』では、竜巻によって魔法の国に飛ばされた少女ドロシーが、心をなくしたブリキのきこりと出会い、旅を共にする。それぞれの旅の目的は、オズの魔法使いに、家に帰してもらうことと、心を戻してもらうこと。

愉快な映画「ロボジー（ROBO－G）」[94]で、ブリキのかかしならぬロボット「ニュー潮風」に魂を吹き込む鈴木重光役を好演するのは、なんと往年のロカビリー歌手、五十嵐信次郎ことミッキー・カーチス翁！

弱小家電メーカー木村電器は、社長の特命で二足歩行ロボット開発に着手する。しかし開発チームに選ばれたのは頼りない社員三名だけ。

なんとか歩けるロボットを開発したものの、お披露目直前に大破。そこで思いついた窮余の一策が、ロボットのサイズぴったりの誰かを見つけ、ロボットの中に入ってもらうというものだった。

ロボットの中に人が入るといえば、巨大ロボット戦士ガンダムのモビルスーツがそうだ。しかしわれらがニュー潮風は、もちろんそんな大層なものではない。等身大ヒト型ロボットにすぎないのだ。そこでミッキー翁演じるジジイ鈴木重光の登場となる。そして、民謡「おてもやん」を踊るロボットとしてデビューする。

民謡はともかく、この映画の発想は日本的かもしれない。なぜなら、鉄腕アトムに連なる系譜として、ロボットといえばヒト型ロボットがまっ先に思い浮かぶ文化が日本にはあるからだ。海外の映画でヒト型ロボットといえば、「スター・ウォーズ」[95]のC－3POや「ターミネーター」[96]の殺人アンドロイドが代表格だろう。だが、ニュー潮風はなんとも平和なロボットである。なにしろ会社のイメージアップだけがその使命なのだ。しかも、ローテクロボットとは思えない早業でロボットオタクの女子大生を助けたことで、想定外の人気者となってしまう。着ぐるみ役を演じる鈴木ジジイの望みは、出張時の待遇改善と、自分を軽んじている孫たちの人気取りだけ。なんとも微笑ましい。

現実のロボット産業の主役は産業用ロボットなのだが、この映画を生み出すようなヒト型ロボットへの愛着が、産業用ロボット分野でも日本が他をリードできた秘訣なのかもしれない。今や日本には、東京・お台場に、高さ一八メートルの「実物大」で「本物そっくり」と謳うガン

---

(94) 矢口史靖監督「ロボジー（ROBO－G）」（二〇一二、日本）
(95) 一九七七年制作の第一作、ジョージ・ルーカス監督「スター・ウォーズ」に始まるご存じのシリーズ。
(96) ジェームズ・キャメロン監督「ターミネーター」（一九八四、アメリカ）

ダム像がそびえている。でも、バーチャルヒーローと着ぐるみのロボジー、どちらが「本物」により近いと言えるのだろう？

さえないジーさんでも、ロボットをまとえばヒーローになれる。ならば、ヒーローの実像はどうなのか。

一九七八年に宇宙飛行士に採用され、八四年にスペースシャトル、ディスカバリー号の初飛行に搭乗し、その後二回の軍事機密ミッションで宇宙を飛び、九〇年に引退した軍人マイク・ミュレインが、われわれにはうかがい知れない宇宙飛行士たちの内幕をばらした『ライディング・ロケット[97]』は、当の宇宙飛行士の自伝である。

一九五七年、ソ連が打ち上げた人類初の人工衛星スプートニクは、米ソ両国の威信をかけた宇宙競争の幕を切って落とした。ミュレインは、そのとき、スプートニクが描く光の航跡を目を丸くして見上げ、いつか宇宙を飛びたいという夢を抱いた少年の一人だった。その夢を実現すべく、彼は士官学校のいじめにも耐え、ハンデを乗り越えて数々の資格を身につけながら宇宙飛行士を目指した。

と書くと、幼い日の夢をひたすら追い求め実現させた美しい物語にも思えるが、この本はちょっとちがう。軍人出身宇宙飛行士たちのお下劣なジョークやあからさまな性差別などを明け透けに語った暴露本的エピソードが満載なのだ。

ただし、マッチョな自慢話ばかりではない。シャトルの打ち上げや大気圏再突入に際してオシッコをちびりそうになる話やトイレの話、数々の不安で眠れなくなる話など、弱みや泣き言も隠さず語られている。宇宙飛行士たちのさわやかな笑顔の陰に隠された裏話がおもしろい。

そのロケットに入れ込む青春群像とでもいうか、『２００５年のロケットボーイズ』[98]の本の帯には、「本邦初の理系青春小説」とある。「え、マジで?」とも。

ＳＦやホラーなどの理系小説はあった。ぼくのイメージでは漱石の『三四郎』も、東京帝国大学理科大学の野々宮さんが登場する理系っぽい小説だが、分類は教養小説。

「理系青春小説」というキャッチの意外性は、理系と青春がイメージとして結びつかないからかもしれない。なにしろ理系は暗くてオタクっぽいとされているではないか。

では、この小説のどこが理系で青春なのか。題材はたしかに理系である。なにしろ高校生が人工衛星を作ってしまう話なのだ。しかし主人公は、たまたま工業高校にいる文系少年。真の戦力となるのは、わがままだったりひきこもりだったりするオタク少年。これでは定番のキャラ。唯一の例外は、秋葉原の電子部品店の美少女彩子。この子はカッコイイ!　彩子こそ陰のヒーローかも。それに、紆余曲折のストーリー展開が痛快だからよしとしよう。少なくとも「青春小説」という看板

(97)　『ライディング・ロケット——ぶっとび宇宙飛行士、スペースシャトルのすべてを語る』(金子浩訳、化学同人(上下)、二〇〇八)

(98)　五十嵐貴久『２００５年のロケットボーイズ』(双葉社、二〇〇五/双葉文庫、二〇〇八)

に偽りはない。

未来に戻る？

一九八五年の一二月七日、「バック・トゥ・ザ・フューチャー」[99]が封切られた。改めて見直すととても懐かしい。まるでそのころにタイムスリップしたかのような気分になる。そしてこれもある種の青春映画。

詳述の要はないだろう。マイケル・J・フォックス扮する高校生マーティが、マッドサイエンティストのドク（クリストファー・ロイド）が発明したタイムマシン「デロリアン」で三〇年前の同じ町に戻り、自分の両親となる高校生カップルを結びつけるという物語である。

さすがスピルバーグ制作の映画だけあって、サービス満点、はらはらどきどきのストーリー展開で飽きさせない。

マーティはダウンベストを着て通りをスケートボードで滑走する。一九八五年はそんなシーンが新鮮な時代だった。

この年にはいろいろな事件があった。航空機事故が多発し、スーパーマリオが発売され、阪神タイガースが伝説のダイナマイト打線を爆発させて優勝し、カーネル・サンダース像が道頓堀川に投げ込まれた。

そうやってリストアップすると、とてもドラマチックで特別な年に思えてくる。だが、振り返って見れば、どんな年も必ずそれなりに特別な年に見える。自分の人生と交差する特別なエピソードがあった年ならばなおさらだろう。たとえばタイガースファンにとってそうであるように。

しかも過去に関しては、主観的に勝手な意味づけができる。その後のタイガースは、サンダース像の呪いで優勝できなくなったという都市伝説しかり。

とはいえ、勝手な意味づけは可能でも、過去を変えることはできない。しかし、変えられるものなら変えたい過去もある。あるいは未来社会も見てみたい。そんな不可能を可能にするのが夢の装置タイムマシンだ。

マーティが三〇年前にタイムスリップしたのは偶然の事故だった。そのマーティに、未来の母ロレイン（リー・トンプソン）が一目ぼれしてしまうからさあ大変。未来の父に恋してもらわないことには自分の存在が消えてしまう。

未来を変えないために過去の辻褄を合わせるべくマーティは奮闘する。この後ろ向きのストーリー展開がこの映画の真骨頂である。

だが前向きの展開もある。一九八五年に発明されたデロリアンのエネルギー源はプルトニウムだった。ところが映画の最後で未来から戻ってきたデロリアンは、バイオ燃料マシンに改良されていた。

（99） ロバート・ゼメキス監督「バック・トゥ・ザ・フューチャー」（一九八五、アメリカ）

そうかこの映画は、卒原発を目指すべき未来の今を見越した映画だったのだ。この映画の作者は、ひょっとして未来人だったりして。

さてそこで、日本版の青春ものタイムトラベル映画の名作といえば「時をかける少女」だろう。物語は放課後の学園、理科実験室から始まる。いかにも何かが起こりそうな予感だ。実験台のフラスコが倒れ、ラベンダーの香りが立ちこめる。「時をかける少女」第一作[100]の事件の発端だ。高一（筒井康隆の原作[101]では中三）の芳山和子（原田知世）はタイムトラベラーになってしまう。数日先と現在とを行き来してしまうのだ。二六六〇年の未来から来て同級生になりすましていた深町一夫（高柳良一）が合成した試薬が原因だった。

第一作は原田知世の映画デビュー作。その初々しさと、尾道のレトロな街並がマッチした青春映画だ（この作品は、四回映画化されているのだが、ここでは第二作を除く三作を取り上げる）。緑が消失した未来からラベンダーを求めてやって来た深町一夫は、芳山和子から自分に絡む記憶を抹消して未来に去る。その一一年後、芳山和子は薬学部の大学院で研究漬けの生活を送っている。記憶にない深町への慕情に縛られながら。

第四作[102]は、その第一作の続編的な設定。芳山和子（安田成美）は薬学の研究室に所属し、同じ薬学部に合格した高三の娘あかり（仲里依紗）と二人暮らし。研究室では密かにタイムトラベルを可能にする薬を研究している。それにこだわる理由もわからぬままに。

そんなとき、失われた記憶の断片を取り戻す。三八年前に撮った深町とのツーショット写真がラ

ベンダーのドライフラワーといっしょに見つかるのだ。しかしその直後、事故に遭った和子は昏睡状態に。

あかりは、意識朦朧とした母から、一九七二年の理科実験室に戻って深町に会わなければと聞かされる。秘密の研究はその約束を果たすためだったのだ。

あかりは母親が開発した薬を使って過去に飛ぶのだが、時代を二年間違えてしまう。そこで出会ったのは映画監督志望の大学生、溝呂木涼太（中尾明慶）。ＳＦ映画の制作につきあいながらの深町探しが始まる。

涼太との疑似同棲生活で恋心を抱くあかりだが、目的を果たしたなら未来に戻らねばならない。あかりが深町一夫の立場になったのだ。

第三作(103)はアニメ映画。主人公の高校生、紺野真琴（声の出演は仲里依紗）は芳山和子（原沙知絵）の姪。国立博物館に勤める和子は、過去をよみがえらせる仕事をしながら、誰かを待っているらしい。タイムトラベラーになり、恋に落ちた謎の同級生が未来に去ったことを悲しむ真琴に、和子は、自分はひたすら待つタイプだけど、あなたは走って迎えに行くタイプという趣旨の慰めの言葉をかける。

たしかに、〝静〟の原田知世に対し、〝動〟の仲里依紗が演じるあかりと真琴は疾走する。四半世紀を隔てた青春像のこのスピード感の変遷もまた、一種のタイムトラベルなのかもしれない。

アニメ版は、二〇一六年に劇場公開一〇周年を記念して、映画の舞台の一つでもある東京国立博物館で野外上映された。粋な計らいではないか。

不思議の国のアリスは、タイムトラベルならぬスペーストラベルをして不思議の国へとワープした。

スペースワープとの絡みで引き合いに出されるのがブラックホールだ。

ハーヴァード大学教授で才色兼備の宇宙物理学者リサ・ランドールの新機軸は、われわれはブレーンと呼ばれる膜のようなものの上で暮らしているのかもしれないと説く「ワープした余剰次元」理論。それについて説く『ワープする宇宙』(104)では、不思議の国のアリスの比喩が多用されている。

最新の宇宙論に触れるたびに抱くのは、宇宙に果てはあるのか、広大無辺な宇宙における人間の存在とはいったい何なのかといった、考えれば考えるほど頭がぼうっとしてきそうな問いである。素人に納得できる解答が出されないまま、理論宇宙物理学の新しい学説が送り出されている。

(100) 大林宣彦監督「時をかける少女」(一九八三、日本)

(101) 筒井康隆『時をかける少女』(鶴書房盛光社、一九六七/角川文庫、一九七六)

(102) 谷口正晃監督「時をかける少女」(二〇一〇、日本)

(103) 細田守監督「時をかける少女」(二〇〇六、日本)

(104) リサ・ランドール『ワープする宇宙――5次元時空の謎を解く』(向山信治・塩原通緒訳、日本放送出版協会、二〇〇七)

では、その余剰次元とは何か。われわれが認識する世界は、縦・横・高さという三つの次元でできている。それに時間も入れた四次元の世界ならば、まあまあ常識で理解できる。しかし実際にはこれに、歪んだ（ワープした）第五の次元が存在するというのが余剰次元理論である。いや、こんな説明ではわからなくて当然。そもそも六〇〇ページにもおよぶ本の内容を数行で要約できるはずがない。

半分あまりはアインシュタインから超ひも理論までの理論物理学史のおさらいに当てられている。かつてニュートンは、自分が他よりも遠くを見通せたのは、巨人たち（偉大な先人たち）の肩の上に乗っていたからだと語ったという。研究が進み知識が増えるに伴い、先端科学を理解するための素養も増大する。踏み越えるべき巨人の数も増す。おまけに次元数まで増えてしまった！

そこで同書の冒頭では高次の次元という考え方が、芸術家の遠近法になぞらえて説明されている。また、歴史のおさらいは、著者自らが提唱する最新理論が登場した必然性を踏まえている点で斬新である。新しい難解な理論が生み出される現場を垣間見られるエピソードも楽しい。これで、異次元宇宙にワープした気分になれるかも。

7　生と死と愛と

不老不死の誘惑

人はみな死ぬ定めにある。これは悲しい現実だ。しかし、ならば永遠の命がほしいかと問われれば、否と答えるしかないだろう。その理由は人それぞれであるにしても。

永遠と刹那への相反する複雑な思いは、無常観を誘うと同時に不思議な高揚感をもたらす。最先端の宇宙論が語る、広大無辺な宇宙はビッグバンが起こった刹那に誕生したという説明に向き合うと、その壮大な世界観に茫然自失するように。

一方、最先端の生命科学は、不老不死を目指すかのごとき挑戦を続けている。健康でさえあれば、永遠に死を待ち続けるのも悪くないと言わんばかりに。誰も不死を望んでいるわけでないにもかかわらず。

スウェーデンの作家ヨン・アイヴィデ・リンドクヴィストのヴァンパイア小説[105]を原作とするスウェーデン映画「ぼくのエリ　二〇〇歳の少女」[106]とハリウッド版のリメーク「モールス」[107]は、深い陰影を帯びた切ないホラー映画だ。一二歳のまま二〇〇年を過ごしてきたヴァンパイア少女と孤独ないじめられっ子少年とのねじれた友情物語なのである。

ホラー映画のサイエンスを真面目に論じるつもりはない。だが、人はなぜヴァンパイア映画にひかれるのかは気になるところだ。

「モールス」の設定は、ヴァンパイア物の定番に一部反している。ヴァンパイアは、仲間にしたい相手がいる場合は、その人間をヴァンパイアに変えてから仲間にするのがふつうである。ところが「モールス」の少女は生身の人間を、自分の世話役としてそのままパートナーにしてしまう。

その結果、少女は永遠に一二歳のままなのに、少年はやがて老いてゆく。そんな未来が待つ中で、光と闇を住み分ける少年と少女は、二人を隔てる壁越しに交わすモールス信号で絆を深めてゆく。生き血をすするヴァンパイアの妖しい魅力は不老不死、永遠の若さだけではないかもしれない。そこには、万物の霊長を自負する人間を定常的に餌食にしている存在の可視化が与える恐怖もあるのではないか。

病原菌やウイルスなど、目に見えない存在ならまだしも、あるいは蚊やダニならいざ知らず、美しい隣人が吸血鬼かもしれないという蠱惑的な恐怖は魅力的でもある。

ハリウッド版「モールス」の原題「レット・ミー・イン」は「部屋に入れて」という意味だが、

(105) 『MORSE——モールス』(富永和子訳、ハヤカワ文庫NV(上下)、二〇〇九)
(106) トーマス・アルフレッドソン監督「ぼくのエリ　二〇〇歳の少女」(二〇〇八、スウェーデン)
(107) マット・リーヴス監督「モールス」(二〇一〇、アメリカ)

異質な「私を受け入れて」とも読める。世のいじめ問題を思うと意味深である。

生殖を目的とするわけでもなく、人を殺してでも生き残ろうとするヴァンパイア少女の生き方は、理屈では受け入れがたいところでわれわれの想像力を惑わさずにはおかない。

ノーベル賞効果

山中伸弥さんのノーベル賞受賞理由となったヒトiPS細胞の作成が報じられたのは二〇〇七年一一月二一日。ちょうどその頃、科学技術に対する国民の意識を問う世論調査が実施されていた。調査結果で目を引いたのが、「科学のニュースに関心がありますか」に対する回答。「ある」という答の割合が、三年前の調査から八・四ポイント増の六一・一パーセントに増えていたのだ。

ぼくはこれを「山中効果」と呼んでいる。調査が実施されていた頃、テレビのワイドショーでは連日、明日にでも臓器再生ができるかのような報道がなされていた。それが効いたと思っているからだ。

クローン羊ドリー誕生のニュースが世界を駆け抜けたのは、そのちょうど一〇年前。このときは、教祖のクローンが生まれたと発表したカルト教団まで出たほどの大騒ぎになった。一笑に付したい嘘だが、ドリーによって、ヒトクローン作成が現実味を帯びたのだ。

ドリーが投じた波紋は、日系イギリス人でノーベル賞作家のカズオ・イシグロによってみごとな文芸作品に昇華させられた。二〇〇五年に発表され、その後映画化された「わたしを離さないで」(108)

である。

主人公は謎めいた寄宿舎で育ったキャシー・H。そこの子どもたちの名字はなぜかイニシャルだけで身寄りのない子ばかり。生徒たちは自分の境遇や行く末に様々な想像をめぐらすのだが、確実な答は見つからない。

それでも一六歳で卒業する頃までには、自分たちが特別な存在であることに気付くようになる。彼らは、もう一人の自分に臓器移植の必要性が生じる日に備えて待機しているクローン人間なのだ。寄宿舎を卒業した生徒たちは、介護人となり、臓器提供をしたクローン人間の世話をする。彼らはそんな残酷な現実を淡々と受け入れる。切ない青春だ。

分身とは対等ではないクローン人間の存在。自分がそんなクローン人間の側だとしたらどんな気持ちだろう。この作品に触れるまで、そんな視点は思いつきもしなかった。

iPS細胞が登場した今、臓器提供用クローン人間という設定はかつて以上に現実味を失った。次はiPS細胞をテーマにした作品が登場するのかと思いきや、科学はその先を行ってしまった。

新たに登場した技術は、DNA配列の特定部位を切り取って効率的に書き換えられるゲノム編集技術CRISPR／Cas9（クリスパーキャスナイン）である（二〇二〇年ノーベル医学・生理学賞の授賞対象となった）。

ハーヴァード大学のジョージ・チャーチは、遺伝子操作技術の開発とその応用分野で、常に存在感を発揮してきた。クリスパーという魔法のはさみが手に入った今、彼は何をしているのか。その迫真のレポートが、ベン・メズリックの『マンモスを再生せよ』[109]である。こともあろうに、三〇〇〇年前に絶滅したケナガマンモス復活計画を主導しているのだ。

マンモス復活計画は過去にもあった。永久凍土に埋まっている死体から細胞をとり、ゾウを代理母にしてクローンを作ろうという目論見だった。ただし、未だに実現していない。技術的に困難なのだ。しかしゾウの遺伝子を自由に書き換えられれば、マンモス化することも不可能ではない。ゲノム編集技術により、それが夢ではなくなったのだ。

それにしてもなぜ、ケナガマンモスなのか。このプロジェクトの肝は、興味本位ではないことだ。気候温暖化により、シベリアの永久凍土が解け、封じ込められていた二酸化炭素が放出されつつある。解け始めた凍土を踏み固めてくれる生きものがいれば、二酸化炭素の放出は抑えられるはずだ。そのためにはマンモスを復活させるのが早道（？）だという仮説に立脚したプロジェクトなのである。そして実際に、シベリアで大型草食獣を放牧しそれを実践している親子がいる。

その親子とチャーチ、そして自然保護論者の投資家がタッグを組み、本気で取り組むことにした

---

(108) カズオ・イシグロ『わたしを離さないで』（土屋政雄訳、早川書房、二〇〇六／ハヤカワepi文庫、二〇〇八）。その映画化は、マーク・ロマネク監督「わたしを離さないで」（二〇一〇、イギリス）。

(109)『マンモスを再生せよ――ハーバード大学遺伝子研究チームの挑戦』（上野元美訳、文藝春秋、二〇一八）

のがこのプロジェクトなのだ。アジアゾウを遺伝的に改変してマンモスを再生し、シベリアのツンドラの凍土に放とうというのである。

著者のメズリックは、映画「ソーシャル・ネットワーク」[110]などの原作者。まさに映画のような構成で物語は進む。最初から映画化を考えてのストーリー展開なのだろう。その意味でも異色のノンフィクションである。

なるほど大義は立派かもしれない。ならばどんな生命操作も許されるのか。投資家はむしろ、気候温暖化阻止の大義よりも、リョコウバトやカロライナインコなど、絶滅した野鳥の復活に期待している。チャーチの思惑は、科学でできることならやらない手はないという野心に基づくようにも思える。

人間はどこまで自然に介入してよいのか、倫理的に許される研究の範囲はどこまでなのか。エンターテイメントとして楽しめる本だが、ちょっと立ち止まって考えてみる必要がありそうだ。

無限の時間、有限な人生

進化論の祖ダーウィンを尊敬し、カモメの学名をそらんじる少女アナベル。小児がん病棟仲間の葬儀で孤独な少年と出会う。映画「永遠の僕たち」[111]の設定だ。

彼の名はイーノック。両親を自動車事故でなくし、自身は臨死体験を経て九死に一生を得る。それ以来、高校を中退し、特攻隊員の亡霊ヒロシ（演じるのは加瀬亮）だけを友として、他人の葬儀に立ち会う遊びに耽っていた。

しかし、運命的な出会いをした二人の時間は限られていた。脳腫瘍が再発したアナベルの余命は三カ月だったのだ。

全体の通奏低音を奏でるナチュラルヒストリー(自然史学)へのアナベルの思い入れが、珠玉の佳作にさらなる深みを与える。

少女は、イーノックとけんか別れした寂しさを、ハロウィンで集めたキャンディの分類で紛らわす。キャンディを机の上に並べ、科、属、種と、生物分類学の手法で仕分ける姿が愛らしい。短い人生を生きるアナベルにとって、ナチュラルヒストリーはいかなる意味があるのか。

動物のスケッチ帳の中でアナベルの一押しはシデムシ。赤と黒のツートンカラーに染め分けられた甲虫だ。先端に赤いビーズがついているかのような触角がクールなのだという。

シデムシは自然界の掃除屋。動物の死体にどこからともなく駆けつけ、小さい死骸なら地中に埋め込んで卵を産み、雌雄で協力して幼虫を育てる。

人は死んで土に帰る。残された者は、死者の思い出を胸に、自分に許された時間を生きることになる。両親に先立たれ、恋人アナベルにまで先立たれるイーノック。

---

(110) デヴィッド・フィンチャー監督「ソーシャル・ネットワーク」(二〇一〇、アメリカ)
(111) ガス・ヴァン・サント監督「永遠の僕たち」(二〇一一、アメリカ)

死出の旅立ちが近づいたアナベルのもとに、特攻服から正装に着替えたヒロシが現れる。イーノックの代わりに付き添ってくれるという。

アナベルの部屋には、ダーウィンの肖像写真が飾られている。ダーウィンは生涯にわたってミミズを研究し、ミミズの活動に自然の循環を見ていた（4章参照）。

人はどこから来てどこへ行くのか。すべての生物は共通の祖先に由来している。人もその例外ではない。それがダーウィンの答だった。しかし、どこへ行くのかについては、妻のエマと意見が分かれた。あの世での再会を願う信心深いエマに対して、ただ土に戻るだけと考えていたからだ。

イーノック推薦のアインシュタインは、時間を相対化する見方を教えてくれた。ただしアナベルに言わせると、悠久の時間の中で人はちっぽけな存在にすぎないと喝破したダーウィンのほうが、はるかに偉いという。

アナベルが心の拠り所にしたサイエンスは決してドライではない。無常の理（ことわり）を教えてくれるのもサイエンスなのだから。

イーノックにとってのアナベルのように、最愛の人が死の病を宣告されたとしたらどうするか。医療技術の進歩はさまざまな難病を克服したものの、未だ有効な治療法の見つかっていない病気は多い。『命の番人』[112]は、原因も治療法もわかっていない難病を発症した弟のために行動を起こした兄の物語である。

難病の名前は筋萎縮性側索硬化症、略称はＡＬＳ。神経が徐々に麻痺してゆく病気で、手足や口の麻痺に始まり、最終的には全身の運動機能が失われて自力呼吸もできなくなる。多くの患者は、診断から数年で呼吸機能が麻痺してしまう。そしてその時点で、人工呼吸器を装着するか否かの選択が迫られる。

この病気で特に残酷なのは、知能や意識は最後まで正常に保たれているのに運動機能のすべてが奪われてしまう点である。アメリカでは、この病気にかかった大リーガーの名前をとって、ルー・ゲーリッグ病とも呼ばれている。また、天才物理学者の誉れ高いスティーヴン・ホーキングも患者の一人だった。

ヘイウッド家の二男で大工のスティーヴは、古民家を改築中に体の異変を感じた。身長一九〇センチの美丈夫（表紙の写真を見ると映画俳優顔負け）は、名門大学を卒業してエンジニアになっていた兄ジェイミーとの腕相撲で、初めて負けてしまう。

スティーヴがＡＬＳと診断されたとき、兄ジェイミーは、さる神経科学研究所の技術転移部長に転身していた。それはあくまでも偶然の転身だったが、因縁めいてもいる。

弟が難病に冒されたと知ったジェイミーは、研究所のデータベースと同僚研究者の知恵袋を最大限に活用し、ＡＬＳ治療の可能性を探るプロジェクトを開始する。そして、ＡＬＳの原因は、神経

（112）ジョナサン・ワイナー『命の番人——難病の弟を救うため最先端医療に挑んだ男』（垂水雄二訳、早川書房、二〇〇六）

細胞におけるある種の遺伝子変異であるとの仮説に行き着く。そうだとしたら、壊れたところに正常な遺伝子を送り込めれば、治療の可能性が出てくる。ジェイミーは、研究所の職も辞め、その可能性に賭けることにした。

兄ジェイミーが希望を託した方法は遺伝子治療と呼ばれる。いかなる病気にしろ、遺伝子治療が治癒効果をもたらした例は一つもなかった。しかし彼は、その技術と意欲をもつ医師を駆り立て、遺伝子治療の実施を目指す財団を設立する。ジェイミーのバイタリティと統率力は、驚異的なスピードで事態を展開させてゆく。

著者のワイナーは、合衆国を代表するサイエンスライターであり、その取材力と文学の素養あふれる筆力には定評がある。ガラパゴスにおけるダーウィンフィンチの進化を研究する研究者を追った『フィンチの嘴(くちばし)』(113)ではピュリッツァー賞を受賞した。二〇〇五年からはコロンビア大学ジャーナリズム大学院でサイエンスライティングの教授でもある。

当初、客観的な取材者としてジェイミーに接触したワイナーは、自身の母親も別の神経難病と診断されたことで心が揺れる。遺伝子を改変してもよいのか、生命の尊厳とは何かなど、生命倫理の問題に対して、傍観者たりえなくなってしまったのだ。

その間も病状が着実に進行する中で、患者本人であるスティーヴの、周囲への気配りと凜とした態度は変わらない。一方、著者のワイナーは、日々変貌してゆく母親を正視できない。誰にとっても決して他人事ではないさまざまな問題提起をはらんだ読み応えのある重いノンフィクションである。

ワイナーはその後、生物の寿命を研究する研究者を訪ね歩くことになった[114]。

心の闇に届かぬ光

階段を上るたびに重力を実感する。むろんニュートンを恨むつもりはない。己の体重増加とそれに見合う筋力のなさを反省すべきなのだから。

それとは逆に、水に浮く爽快感は、体重から解放される喜びなのかもしれない。自分の体が押しのけた分の水がつくりだす浮力が、脚の筋肉に代わって体を支えてくれるありがたさ。

もっとも、顔を水につけている時間が長引くと、もしやこのまま溺れてしまうのではないかという恐怖心が頭をもたげる。えらをもたず、肺呼吸のみに頼る情けなさ。水を得た魚には戻れないもどかしさ。

もしかして、伸びやかに跳ねまわるイルカやクジラにひかれるのは、ねたましさの裏返しなのか。

---

(113) ジョナサン・ワイナー『フィンチの嘴――ガラパゴスで起きている種の変貌』(樋口広芳・黒沢令子訳、早川書房、一九九五/ハヤカワ文庫NF、二〇〇一)

(114) ジョナサン・ワイナー『寿命1000年――長命科学の最先端』(鍛原多惠子訳、早川書房、二〇一一)

イルカ・クジラ類は、陸から海に戻った哺乳類である。海での生活に特殊化するために、まるで魚のような体に変身している。

だが、肺呼吸だけはいかんともしがたかった。それでも潜水時間の長さは驚異的だ。その秘密は、赤血球が多いと同時に、潜水中は必要な器官以外への酸素供給を控えるモードに切り替えられるなどといった特殊な適応のおかげである。

人間もそのような能力を身に付けられれば、長時間潜水が可能となる。実際にそんな驚きの能力をもつ人がいる。素潜りで潜水深度を競うフリーダイビングの記録保持者たちが、おそらくはそれ。

フリーダイビングは、リュック・ベッソン監督の出世作「グラン・ブルー」[115]で一躍注目された。この映画は、不世出のフリーダイバー、ジャック・マイヨールとの出会いから生まれたという。

映画の主人公の名前もジャック・マイヨール。ストーリーも実話と重なる部分が多い。

マイヨールは、重りを使って潜る方式で、一九七六年に世界で初めて水深一〇〇メートルの壁を破った。映画は、ジャックとその幼なじみエンゾとのフリーダイビング選手権での対決を中心に進む。

だが、なにより観る者の心を打つのは、愛を寄せる女性の気持ちに応えることができないまま、イルカの導きに応じて海に戻るジャックの孤高の姿かもしれない。

海が青い理由は、ニュートンの光学で理解できる。イルカの身体能力も理屈が立つ。しかし、深海の暗闇だけでなく、人の心にも、未だに科学の光が届かない暗闇が存在する。そんなことを、映像は雄弁に思い知らせてくれる。

(115) リュック・ベッソン監督「グラン・ブルー」(一九八八、フランス、イタリア)

8　拝啓ダーウィンさま

プレイ・イット・アゲイン

クリスマスが近づくたびに浮き足立つ歳ではないけれど、年の瀬と重なるため、一年を振り返る時期になったことを思い知らされる時期ではある。半世紀以上生きた人間にとっては、着実にカウントダウンが進んでいることを、否応なく自覚させられる時節でもある。

そこで浮かぶ考えは、ああ、あの時もっとああすればよかった、あれは失敗だったということばかり。成功体験を思い出せないのは、記憶が薄れたせいなのか、それとも失敗続きの人生だったせいなのか。ああ、人生をもう一度やり直せるものなら……

日本の年の瀬の定番ドラマが忠臣蔵だとすれば、アメリカの定番はフランク・キャプラ監督、ジェームズ・スチュアート主演の映画「素晴らしき哉、人生!」[116]。原題は「イッツ・ア・ワンダフル・ライフ」。日本でも、一二月にはきっと衛星放送のどこかのチャンネルでこの映画が放映されているにちがいない。

ストーリーは単純だ。家族のため、他人のためを思って善良に生きてきた主人公ジョージだったが、年の瀬が迫り、思わぬ不幸が重なって金策に窮する。発作的に自殺を決意したジョージは、あわやというところで守護天使に救われる。そして、ジョージが生まれていなかった場合の世界を見せられ、自分が思いのほか重要な存在であることに気づかされ、再起を誓う。

たしかに心温まる映画だ。しかも、「もしもやり直せるものなら」という万人の願望がかなう映画でもある。

歴史で「もし」はタブーだが、やはり気になる。信長が本能寺で死んでいなかったとしたら、日本はどうなっていたのか？

生物進化のそんな「もしも」を主題にしたスティーヴン・ジェイ・グールドの『ワンダフル・ライフ』(117)という科学書がある。お察しのとおり、タイトルはこの映画へのオマージュ。今を去る五億年あまり前に突如として出現した奇妙奇天烈な生物の多くは、子孫を残さずに消滅した。歴史を巻き戻し、その時代からやり直したとしたら、今の地球はどうなっていたか？　人類は、はたして登場していたかどうか？

誰にもわからないというのがその答。もちろん、人生をやり直そうと決意したジョージのその後も予測はつかない。まあだからこそ、人生も映画も面白いのかも。辛いこともあれば、素晴らしい

(116)　フランク・キャプラ監督「素晴らしき哉、人生！」(一九四六、アメリカ)

(117)　『ワンダフル・ライフ――バージェス頁岩と生物進化の物語』(渡辺政隆訳、早川書房、一九九三／ハヤカワ文庫NF、二〇〇〇)

こともあるのだから。

いや、もっと気になるのは、恐竜が絶滅していなかったとしたら、地球はどうなっていたのか？ コナン・ドイルといえばシャーロック・ホームズ。しかしじつは『失われた世界』[118]というＳＦ小説も書いている。その映画化の初代作品が「ロスト・ワールド」[119]。

物語は、アマゾンの奥地に太古の世界がそのまま残っていると主張するチャレンジャー教授一行の冒険である。切り立った崖で下界から孤立した高地に、化石でしか知られていない恐竜や翼竜が生き残っていたというのだ。

そのモデルとなった場所が、独自の進化を遂げた生きものの生息地として知られる実在の地、ギアナ高地であることでも有名な作品である。

原作は一九一二年。その三〇年ほど前に報告された、世界初のギアナ高地探検に触発されて書いたといわれている。

一九二五年制作の映画は無声映画である。後続の恐竜映画、あるいは怪獣映画の原点がこれだ。それにしても登場する巨大な恐竜はどうやって撮影したのか。ＣＧなどなかった時代である。着ぐるみでもない。小さな模型を作り、それを少しずつ動かしながら一コマずつ撮影したのだ。この

(118) アーサー・コナン・ドイル『失われた世界』(伏見威蕃訳、光文社古典新訳文庫、二〇一六)
(119) ハリー・O・ホイト監督「ロスト・ワールド」(一九二五、アメリカ)

技法をストップモーション・アニメという。ローテクながらすごい。なにしろ細部まで異様なこだわり様なのだ。撮影にはなんと七年もかかったといわれている。

登場する恐竜は、どこかおどろおどろしくて、それが奇妙な迫力を生んでいる。しかしそのベースは恐竜の古いイメージにある。

現代恐竜学が書き換えた大きな修正点の一つは、恐竜のしっぽだった。この映画に登場する雷竜ことブロントサウルスも、大型肉食恐竜アロサウルスも、長い尾をだらりと地面に垂らしている。しかしこれでは敏速な動きができない。だいいち、ブロントサウルスの長い首とバランスが取れない。新しい恐竜像に基づいてスピルバーグが制作した「ジュラシック・パーク[120]」と比べればよくわかる。

おっとそれともう一つ、ブロントサウルスという名の恐竜は一時的に存在しなくなったものの、また復活したという噂を聞く。別々に命名されたアパトサウルスと同じ種類ということで、後者の名に統一されることでいったんは消滅したのだが、最近になり、両者は別属であるという説が出たらしい。最新の情報によって改定されてゆくのが科学なのだ。

チャレンジャー教授一行は、ブロントサウルスを捕獲してロンドンに連れ帰る。しかし港で檻から逃げ出した恐竜は、街を破壊したあげく、タワーブリッジから落下する。そしてネス湖の恐竜よろしくテムズ川を泳ぎ下ってゆく。ゴジラ[121]が東京湾に出現するのは、その二九年後のことだ。

ソウルメイトの二人

第一六代アメリカ合衆国大統領リンカーンの誕生日は一八〇九年二月一二日。二月の第三月曜日は二月二二日生まれの初代大統領ワシントンの誕生日を祝う全米の祝日（大統領の日）だが、リンカーンの誕生日を祝日としているのは北部の一部の州に限られている。

二月一二日はもう一つ別の記念日「ダーウィン・デイ」でもある。同日は、科学的な進化理論を初めて世に問うたイギリスの自然史学者チャールズ・ダーウィンの誕生日でもあるのだ。この日にちなみ、アメリカも含めて（ただし反進化論の伝統が根強い南部諸州は別）世界各地でさまざまなイベントが開催される。ちなみにダーウィンの生年も一八〇九年。偶然にも、リンカーンと全く同じ誕生日なのだ。

リンカーンとダーウィンは、共に五〇歳を過ぎてから嵐に巻き込まれた点でも共通している。リンカーンは五一歳で大統領選に勝利したが、奴隷制度の拡大に反対したことで招来した南北戦争を戦う大統領となった。

ダーウィンは五一歳目前の一八五九年末、人は他の動物と祖先を共有していると説いた書『種の起源』を出版し、人類、特に白人の卓越を信じる層を敵に回した。

（120）スティーヴン・スピルバーグ監督「ジュラシック・パーク」（一九九三、アメリカ）

（121）本多猪四郎監督「ゴジラ」（一九五四、日本）

スピルバーグが制作監督した映画「リンカーン」[122]は、リンカーンが大統領に再選されて二期目を迎えた直後の物語である。

北軍の勝利を目前にして、奴隷制廃止を憲法に組み込む修正第一三条の下院通過に腐心する姿が描かれている。

史実によれば、リンカーンは必ずしも人種平等論者ではなかったようだ。だが、南北戦争の大義を貫くために、戦争終結前に奴隷制全面廃止の道筋をつけることにこだわり、術策をめぐらす。

映画の中では、ダーウィンへのそれとなくの唐突な言及がある。リンカーンの一一歳の四男で大の動物好きだったタッドが、自宅、つまりホワイトハウスに戻った兄に、ヤギに引かせた車に乗って駆け寄り、小鳥のくちばしがどうやって変わるか（進化するか）を説明した新しい本が出たことで怒っている人がいると、堰を切ったように話しかけるシーンだ。

修正第一三条の可決を自室で待ちながら、リンカーンがタッドを膝に乗せて博物学の本をいっしょにめくるシーンもある。

奴隷制は人道的のみならず、進化論に照らせば科学的にも支持されえない。ダーウィンも若いころから奴隷制を嫌悪していた。同年同日に生まれ、人種差別という同じ戦場で戦った心の盟友。スピルバーグは、その二人をこの映画で引き合わせている。粋な計らいだ。

そのダーウィンをめぐって、二〇〇九年は記念すべき年だった。進化学の父と讃えられているチャールズ・ダーウィンの生誕二〇〇年であると同時に、その後の人類の歴史に多大な影響を及ぼした『種の起源』の出版から一五〇年にあたっていたのだ。

ところがダーウィンの『種の起源』は、名のみ高く読まれることの少ない本の一つである。そういうこともあってか、『種の起源』に関しては、意外と知られていない事実が多い。『種の起源』の構成は、すべての生物は共通の祖先から分かれてきたという考え方（進化論）を読者に納得させると同時に、進化を引き起こす仕組み（自然淘汰説）を提唱した、一つの長い論証という形をとっている。そして驚くべきことに、邦訳版にして八〇〇ページ近くもあるというのに、ダーウィン自身、この本は自らの研究成果の「要約」であるとことわっている。

ダーウィンは、進化という事実とその仕組みに関する理論に思い至ってからそれを世に問うまで、実に二〇年あまりも発表を差し控えていた。ならば、満を持して完全な形で発表すればよいものを、なぜ、「要約」などという形をとったのだろう。あるいは、『種の起源』出版直後の騒動の中で、ダーウィン自身は沈黙を守り通した。なぜなのだろう。

科学史家ジャネット・ブラウンの『ダーウィンの『種の起源』』[123]は、『種の起源』の伝記という形で、この歴史的な書をめぐるいくつもの「なぜ」に明快に答えると同時に、今に至っても衰えていないダーウィンの慧眼とそれがもたらした影響を手際よく紹介している。

（122）スティーヴン・スピルバーグ監督「リンカーン」（二〇一二、アメリカ）
（123）『ダーウィンの『種の起源』』（長谷川眞理子訳、ポプラ社、二〇〇七）

一方、マシュー・ニールの長編小説『英国紳士、エデンへ行く』[124]は、『種の起源』出版前夜の物語である。聖書の記述を頑なに信じる地質学者でもあるイギリス人牧師が、タスマニアこそがエデンの園だとの結論に至り、その証拠を求めてオーストラリア沖に浮かぶかの島を目指す。その物語が、当の牧師、人種差別主義者の医師、先住民アボリジニと白人との混血児、密輸船の船長など、複数の登場人物の視点から重層的に語られる。

その牧師は、科学の使命は神による創造の証明であるという旧来の科学観の体現者であり、ダーウィン進化論が変えた古い世界にあたる。一方、探検隊に同行した医師の目論見は、先住民アボリジニが劣等な別種であるとする自説の「科学的証拠」集めにあった。後にダーウィンの自然淘汰説は、優勝劣敗の原理と曲解されることで、この医師のような人種差別主義を正当化する「科学」として誤用され、ホロコーストを招来した。

つまりこの小説は、ダーウィンこそ登場しないものの、まさに『種の起源』が一変させた世界観を要約していることになる。しかも偶然に翻弄される探検隊一行の運命が、進化の偶然性と相通じる点もおもしろい。

進化の行方と人生は予測しがたい

イギリス南西部ドーセット州ライム・リージスの海岸。黒いマントに身を包んだ女が海に向かってたたずんでいる。なにやらいわくありげだ。「フランス軍中尉の女」[125]（一九八一年）と呼ばれているサラ（メリル・ストリープ）という女だという。

なぜ、そう呼ばれているのか。そもそもその女サラは何者なのか。時代は一九世紀、博物学がブームだったヴィクトリア朝。化石採集に当地を訪れた古生物学者チャールズ・ヘンリー・スミスソン（ジェレミー・アイアンズ）は、名士の娘と婚約中の身であるにもかかわらず、謎の女にひかれてゆく。

原作は同地に住んでいた作家ジョン・ファウルズの同名小説[126]。ファウルズといえば蝶の収集が高じて憧れの女性を幽閉してしまう『コレクター』[127]が有名だ。本作も博物学趣味に満ちている。じつはサラには実在のモデルがいる。ただし、異国の将校に身を任せた女性というわけではない。化石産地として有名な同地で化石を発掘して古生物学者に販売していた女性、メアリー・アニングがそのモデルなのだ。

ロマネスク調の大建造物である大英自然史博物館は、ロンドンの超高級住宅街の一角にその威容を誇っている。正面入り口を入った左ウィングは、新しい恐竜展示ホールや、標本収蔵庫とイベン

（124）『英国紳士、エデンへ行く』（宮脇孝雄訳、早川書房、二〇〇七）
（125）カレル・ライス監督「フランス軍中尉の女」（一九八一、イギリス）
（126）『フランス軍中尉の女』（沢村灌訳、サンリオ、一九八二）
（127）『コレクター』（小笠原豊樹訳、白水社、一九七九／白水Uブックス、一九八四）

トコーナーが合体したダーウィン・センターなどが新設され、たくさんの見学者でにぎわっている。

しかし、太古の生物の息づかいを間近に感じたいならば、人通りの少ない右ウィングに足を踏み入れることをお勧めする。魚竜や首長竜の化石が壁一面を覆う壮観を目の当たりにしたあなたは、それら海生爬虫類が悠然と泳いでいた太古の海にタイムスリップしたかのような錯覚を覚えるに違いない。

そんなあなたの白昼夢を覚ますのは、巨大な首長竜化石の下に飾られたパネルかもしれない。そこには、ハンマーとバスケットを手に、だぶだぶのスモックコートのような服をまとった女性の肖像が印刷されている。しかもその女性の足下には、なぜか犬が寝そべっている。

この女性は何者なのか。じつはこの女性こそ、メアリー・アニングなのである。メアリー・アニングは、古生物学ファンならば知る人ぞ知る存在ではある。なにを隠そう、かく言うぼくも、彼女をネタにしたエッセイ、コラムの類を一度ならず物したことがある（たとえば「睥睨――竜を売る女」[128]）。それどころか、いずれは彼女を中心とした化石研究者列伝を執筆する構想さえ立てていた。しかし、『メアリー・アニングの冒険』[129]の登場により、その計画は放棄せざるをえなくなった。これ以上におもしろい本は、書けそうにないからである。

アニングは、一八〇〇年代前半に英国南岸の景勝地ライム・リージスに居住し、ジュラ紀の地層を残す海食崖から産出する化石を発掘しては地質学者に売ることで生計を立てていた。首長竜化石、魚竜化石、翼竜化石などといった大発見の真の立役者が、ほかならぬ彼女だったのである。しかし彼女の名は、科学史から長らく抹殺されていた。化石を購入して命名した大物男性地質学者たちは誰も、科学界の名誉というかたちでアニングの功績に報いようとはしなかったからである。

当時、化石研究における貢献が無視あるいは軽視されていた女性は、アニングだけではない。大物地質学者の妻たちのなかにも、地質学史においてもっと脚光を浴びてしかるべき貢献をした人たちがいたからである。ただしアニングの場合は、身分が低く、大物の妻という立場でもなかっただけに、彼女の素顔を知るための資料はほとんど残されていない。そしてそのことが逆に、伝説上の人物として密かに語り継がれる存在に仕立て上げてきた。

現代英国作家ジョン・ファウルズの小説『フランス軍中尉の女』は、化石マニアのヴィクトリア朝紳士がライム・リージスを訪れ、そこで不思議な女と出会うという物語である。この物語には、アニングの店とおぼしき化石店も登場する。

近年、本国イギリスにおいてもアニングの再評価がなされてきた。しかし上記の理由により、資料は乏しい。『メアリー・アニングの冒険』は、作家と科学史家の幸福な出会いにより、あくまで

(128) 渡辺政隆『シーラカンスの打ちあけ話――生きものたちの生態と進化』(廣済堂出版、二〇〇二)所収

(129) 吉川惣司、矢島道子『メアリー・アニングの冒険――恐竜学をひらいた女化石屋』(朝日新聞社、二〇〇三)

も史実に則しつつも空白は作家の想像力で補うことで誕生した、世界初の本格評伝である。わが国のサイエンスライティングの新たな地平を開いた好著として、喝采を送りたい。

嵐が去った日の朝、アニングは海岸に立ち、崖を見上げることが多かった。嵐に洗われた海食崖の露頭から顔を出した化石を探していたのだ。ファウルズは、そのイメージからサラを創作した。

映画のほうは、ヴィクトリア朝の物語と、その映画を撮影する現代の物語が並行して進行する。主役の男女二人は、劇中の役とそれを演じる俳優の役を演じ分け、撮影現場ではダブル不倫が進行する。

巷はダーウィンの進化論でざわめいている。科学者を意味するサイエンティストという単語が提唱されたのは一八三四年、ダーウィンの『種の起源』出版は一八五九年だ。科学者といっても、その大半は富裕な有閑紳士。チャールズもその例に漏れない。科学は趣味の世界だった時代である。

原作を超えた脚本が見事だ。それもそのはず、二〇〇五年にノーベル文学賞を受賞した劇作家ハロルド・ピンターの作。

チャールズは地元のクローガン医師（レオ・マッカーン）と進化論を論じ合い、聖書ならぬ『種の起源』に誓って秘密を共有する。

サラとチャールズは結ばれるのか。共に既婚者である主演の男女の恋の行方は？　繰り返そう。進化の進む方向は予想しがたいが、人生の岐路もまた然り。

9　進化の話

ダーウィンを読む

チャールズ・ダーウィンは、一八〇九年二月一二日、イングランド北西部、ウェールズとの国境に近い小さな商業都市シュルーズベリで生を受けた。父親は開業医で母親は製陶会社を営むウェッジウッド家の娘であり、裕福で知的な中産階級という家柄である。

父親はかなりの資産を息子に贈与し、息子もそれをうまく運用したおかげで、ダーウィンは生涯にわたって生業に就く必要がなかった。ほとんどすべての時間を生物の研究と著作に割くことができたのだ。

誰もが慣れ親しんでいるダーウィンの肖像は、白いひげをたくわえた老人の姿だろう。しかし、ビーグル号の航海から帰国してイギリスの学界に颯爽とデビューしたダーウィンは、二七歳の若者だった。

ダーウィンの名を一躍有名にしたのは、一八三九年に出版した『ビーグル号航海記(130)』である。これは、ケンブリッジ大学卒業後に乗船した英国海軍軍艦(測量船)ビーグル号での五年間に及んだ世界周航での見聞を綴った旅行記であり、いうなればダーウィンの原点にあたる。

『ビーグル号航海記』は岩波文庫版もあるが、未知の国で数々の驚きの体験をした若きダーウィンの息づかいを追体験するには、稀代の博物学研究家荒俣宏さんによる斬新な翻訳がお勧めである。
この『航海記』には、「謎の中の謎」という言葉が登場する。これぞまさに、生物種はいかに起源したかをめぐる謎のことである。地上の生きものは神が創造したとする創造説を信じたままビーグル号に乗船したダーウィン青年は、生物の目くるめく多様性は創造説では説明できないことを自覚し、生物は進化によってその多様性を増加させてきたと信ずる進化論者としてロンドンに帰還した。

無名の若者として旅立ったダーウィンだったが、帰還時には、旅先から送った膨大な標本と観察日誌により、ロンドンの自然史学界では一角の名士となっていた。しかし、当時の学界にあって、進化論は邪説だった。心の中で邪説を育み、密かにその証拠固めに勤しんでいた青年は、たびたび心身の不調を覚えるようになる。生物は進化したと確信するに至ってからその信念を公表するまで二〇年あまり沈黙を守ったのは、邪説を唱えるものへの制裁を恐れたからだと言われている。

ダーウィンに沈黙を破らせるきっかけを与えたのは、マレー諸島で動物標本の採集に従事していた独学の自然史学者アルフレッド・ラッセル・ウォレスだった。ウォレスは、マラリアの熱に浮かされる中で、ダーウィンとは独立に自然淘汰説を思いつく。ウォレスがそれを論文にまとめて送っ

（130）『ビーグル号航海記』（荒俣宏訳、平凡社（上下）、二〇一三）

た相手がダーウィンだったのは、慧眼であると同時に皮肉だった。なぜなら、ダーウィンも独自にウォレスのそれと基本的に同じ自然淘汰説に到達し、長らく懐で温めていたからだ。

自然淘汰説自体は、きわめて単純な説である。生物は子孫を残そうとするが、次の子孫を残せるまで生き残れるのは、そのうちのほんの一部にすぎない。すなわち自然はきわめて不経済なことをしているが、結果的に生き残って子孫を残す個体は、他よりも生息環境に適合した個体である場合が多い。その子どももまた環境に適合しているとしたら、生物は代を重ねるごとに少しずつ変わってゆくことにならないだろうか。これが自然淘汰説の要諦なのだ。

ウォレスとダーウィンという二人が同一の説にたどり着いた背景には、同様の説を唱えた先人がいたのではないか。そのあたりの謎解きに踏み込んでいる『ダーウィンと謎のX氏』[131]の著者アイズリーは、人類学者、科学史家、エッセイストとして著名な碩学である。ウォレスが自然淘汰説に思い至った背景については、新妻昭夫さんの『種の起原をもとめて』[132]が詳しい。

ウォレスに背中を押されたダーウィンは、執筆中だった自然淘汰説に関する大著の要約版を大急ぎで仕上げた。それが、『種の起源』である。この書は一般読者向けに書かれたもので、引用文献もない。それが、歴史を変えた一冊となったのである。

ダーウィンの伝記としては、デズモンドとムーアの共著『ダーウィン』[133]がある。科学者とて、時代と無縁には生きられない。このダーウィン伝は、そうしたコンテクストで書かれている。

もう一冊、別の視点に立ったダーウィン伝が『ダーウィンと家族の絆』[134]である。著者はダーウィンの玄孫(やしゃご)（孫の孫）で、経済学者ケインズの血筋にもあたる。ダーウィンがキリスト教信仰と決別し、進化理論に邁進する決意を固めさせたのは愛娘の早世だった。この仮説をダーウィン家の家宝的資料を駆使して語ったもう一つのダーウィン伝である。

祝祭の陰で

チャールズ・ダーウィンの生誕二〇〇年、その主著『種の起源』出版一五〇年という節目の年二〇〇九年には、世界各地で各種の催しが開催された。

しかし、世界を見渡すと、必ずしも歓迎ムード一色というわけではなかった。日本ではあまり実感できないことだが、宗教的、倫理的な理由から、生物の進化、それも特に人類の進化を否定する人たちが世界にはいまなお数多くいるからだ。合衆国では、生物の進化を信じていない成人が全体

（131）ローレン・アイズリー『ダーウィンと謎のX氏――第三の博物学者の消息』（垂水雄二訳、工作舎、一九九〇）

（132）『種の起原をもとめて――ウォーレスの「マレー諸島」探検』（朝日新聞社、一九九七）

（133）A・デズモンド、J・ムーア『ダーウィン――世界を変えたナチュラリストの生涯』（渡辺政隆訳、工作舎、一九九九）

（134）ランドル・ケインズ『ダーウィンと家族の絆――長女アニーとその早すぎる死が進化論を生んだ』（渡辺政隆・松下展子訳、白日社、二〇〇三）

の半数以上に及んでおり、いっこうに減る気配はない。

シカゴ大学の進化生物学者コインの『進化のなぜを解明する』[135]は、合衆国内にくすぶるそのような火種を少しでも抑える目的で書かれたものだ。原書のタイトルが『進化はなぜ真実なのか』であると知れば、著者の意図は明らかだろう。

著者のコインは、新しい生物種はどのようにして起源するか、すなわちまさに「種の起源」について、主にショウジョウバエを材料に研究している。また、すべての生物は神が創造したとする創造説と闘う論客としても知られている。

創造説は合衆国では一大勢力を形成しており、科学者や教育関係者の長年にわたる努力にもかかわらず、まるでモグラたたきのモグラのようにしぶとく頭をもたげ続けている。

しかも最近は、「神」とか「創造主」という言葉は使わずに、生物は「知的な設計者」によって創られたとする「インテリジェント・デザイン」なる主張に偽装することで、むしろ勢力を盛り返しているかの感もある。

だが、生物はさまざまな適応の妙を見せているが、詳細に調べれば、必ずしも完璧な適応ではないことがわかる。突然変異と自然淘汰を基調とした生物進化の仕組みは、誤解を恐れずに言えば行き当たりばったりだからだ。

同書では、そのような興味深い例が、これでもかとばかりに紹介されている。生物がほんとうに知的なデザイナーの創作になるものだとしたら、どの適応も完璧なはずである。ところが現実にはそうではない。逆説的ではあるが、これこそが生物進化の証しとなる。

じつはダーウィンが『種の起源』の中で展開した論証も、これと同じものだった。ダーウィンも、神による生物の創造をことあるごとに否定する記述をしているのだ。となると、『種の起源』が書かれた一五〇年前と、事情は何も変わっていないのだろうか。

いやそんなことはない。たしかに、未だに進化を受け入れない人は多い。しかし、生物進化を裏付ける証拠は着実に積み上げられてきた。ダーウィンの進化理論は仮説にすぎないという段階はとうに過ぎているのだ。この本を一読すればそれは明らかである。

その内容は、進化学の教科書代わりに使えるほど充実している。ただし、無味乾燥な教科書では決してない。それは、創造説を論破するという明確な目的の下に書かれているからである。論争を挑んだ本が退屈なはずはない。

最後に付け加えると、著者コインとインテリジェント・デザイン論者との闘いは決して他人事ではない。日本人で人類の進化を否定する人は少ないが、ダーウィン進化論に対する理解度はお寒い状態である。それと日本は、疑似科学というモグラの巣窟でもある。科学による理論武装を怠ってはならない。

(135) ジェリー・A・コイン『進化のなぜを解明する』(塩原通緒訳、日経BP社、二〇一〇)

生物地理学のパラダイム転換

コアラやカンガルーはなぜ、オーストラリアにしかいないのか。

その答は、およそ一億六〇〇〇万年前まで存在していた超大陸ゴンドワナからオーストラリアが分かれたとき、その「方舟」に乗っていた哺乳類は有袋類だけだったからというものだ。

そのお隣のニュージーランドには、オーストラリアにも分布しているナンキョクブナ類という、ゴンドワナ大陸の生き残りといわれる植物が自生している。それは、ニュージーランドもかつてはゴンドワナ大陸の一部だった動かぬ証拠とされてきた。

なのになぜ、ニュージーランドには、有袋類はおろか、陸上の哺乳類が存在しなかったのか。ニュージーランドがオーストラリアと分かれたとき、哺乳類は乗り損ねたからだと、説明されてきた。しかし、オーストラリアのエミュやアフリカのダチョウと同じ走鳥類の一種キーウィは、なぜか乗船できたらしい。かつてはモアという巨大な走鳥類もいた。

生物の分布を研究する分野を生物地理学という。分布域を記載するだけではすまない。なぜを問わなければ、進化論的な説明にはならない。生物はなぜ、今のような分布パターンをしているのか。コアラはオーストラリア、キリンはアフリカ、カピバラは南アメリカというように。

アラン・デケイロスの『サルは大西洋を渡った』[136]の主題は生物地理学をめぐる論争であり、読み応えがある。

そもそもは、ダーウィンの自然分散説に始まる。すべての生物には由来がある。したがって、類縁のある生物が離れて暮らしているのは、元の生息地からそこへ分散したからだと説明する。この説明は、進化の総合説学派の重鎮、アーンスト・マイヤーやG・G・シンプソンに踏襲された。

しかし、新世界のサルは、海を隔てた旧世界からどのようにして移住したのか。オーストラリアのエミュやヒクイドリ、ニュージーランドのキーウィやモアなどの走鳥類は、ダチョウのいるアフリカからどうやって移住したのかなど、説明しにくいことがたくさんある。サルや走鳥類が海を泳いで渡れたとは考えにくいからだ。

そこに、孤高の異端児クロワザ（同書での表記はクロイツァット）の汎生物地理学が立ち現れる。この説は、プレートテクトニクスの登場により、大陸移動によるゴンドワナ超大陸の分裂が確証されたことで、俄然、説得力をもった。しかも、分岐学の台頭と相まって、分断地理学と名を変えて激しい論争をしかけた。

ところが、分子時計による系統分岐の年代推定法が利用可能となったことで、分断地理学は形勢不利となった。

たとえば、ニュージーランドには、ゴンドワナ大陸の「生き残り」などいないことになった。ニュージーランドにいる「生き残り」が分岐した年代は、ゴンドワナ大陸の分裂よりもはるかに最近

---

(136) 『サルは大西洋を渡った——奇跡的な航海が生んだ進化史』（柴田裕之・林美佐子訳、みすず書房、二〇一七）

のことだったらしいのだ。そこのナンキョクブナ類もキーウィも、ニュージーランド独立後五〇〇〇万年以降に、改めて移住してきたものから進化した種類である可能性が浮上したのだ。空を飛べないキーウィは、どうやって移住したのか。まだ空を飛べた祖先が渡ってきて、そこから進化したと考えるしかないのだが、その祖先の化石は見つかっていない。

南アメリカのサルの仲間についても、事情は同じだ。アフリカと合体していたときに移り住んでいたサルの子孫ではなく、アフリカと分かれた後で、天然のいかだにでも乗って海を渡ってきたとしか考えられなくなったのだ。

かくしてダーウィンの自然分散説が復活した。驚きのどんでん返しだ。科学革命の渦中にいた著者にして初めて書けた瞠目すべき物語である。

胎児の話

地球は広大な宇宙の片隅のちっぽけな存在にすぎない。ならばそこで誕生した生きものも、宇宙が存在する目的とは言いがたい。ではなぜ、われわれは存在するのか。これは科学が人間の自意識に突きつけた、重い問いだった。

そして科学は、われわれの存在の根源に関するさらに冷酷な事実を暴いてみせた。われわれの存在は、偶然の積み重ねにすぎないと。

たまたま生命のゆりかごとしての条件を備えた惑星で命の芽が誕生し、試行錯誤の末に生じた脇芽の一つが人間なのだ。皮肉な話ではないか、形而上学的な問いかけが唯物論的な現実を暴いたのだから。

それでも人は、「なぜ」と問いかけずにいられない。『胎児期に刻まれた進化の痕跡[137]』がその一角をなす、「遺伝子から探る生物進化」と題されたシリーズは、若手研究者が進化の「なぜ」という問いに魅せられて生物学者として独り立ちしてゆく軌跡を自ら綴った意欲的な企画である。

著者は、博士課程の研究を進める中で、一五〇年来の謎が気になり出す。その謎とは、「個体発生はほんとうに系統発生を繰り返しているのか？」

動物の発生過程を比較すると、驚くほどの類似性が見つかる。はたしてそこに法則性はあるのか。生物多様性の根源は、かのダーウィンが喝破したように枝分かれ状の進化だとしたら、後から登場した生物にはその祖先の痕跡が残されているはずだ。

そう考えた一九世紀ドイツの動物学者ヘッケルは、「個体発生は系統発生を繰り返す」と主張した。

しかし一五〇年前のこの提案が、その後の動物学、進化学、発生学を迷走させた。一時的に脚光を浴びたものの、いつしか邪説の汚名を着せられたのだ。

しかし著者の入江直樹さんは、このアイデアの検証を思い立ち、研究テーマを変えてまでも挑戦

(137) 入江直樹『胎児期に刻まれた進化の痕跡』(慶應義塾大学出版会、二〇一六)

の旅に乗り出した。各種生物の個体発生は、はたしてどれほど祖先の形態を繰り返すのか。共通の出発点は存在するのか。いや、そもそもすべてが幻想なのか。

一五〇年前の憶測が検証にかけられてこなかったのは、その方法がなかったこともある。それが今や、分子生物学、スパコンを駆使したゲノム解析と系統解析が可能な時代になった。あとは、正しい問題設定と、チャレンジ精神さえあれば……

さてそれで、大いなる謎は解けたのか。イエスでもありノーでもある。謎が新たな謎を生むのが科学研究の醍醐味なのだ。小冊子ながら、若き研究者の苦闘と問題解決の喜びがビビッドに伝わる好著である。

片や、好奇心で積み重ねた研究成果を軽妙に語っているのが『胎児のはなし』[138]だ。

原始、人は誰もが胎児だった。言われてみればあたりまえのことだ。しかし、われわれはみな、そのことを忘れがちである。

人は一個の受精卵から始まり、母親の胎内、子宮の中で羊水に浮かんだ状態で九カ月あまりを過ごす。考えてみればすごいことだ。単細胞からスタートして水生動物となり、生れ落ちてオギャーと泣いて初めて、人は陸生動物になるということなのだから。

では、胎児は羊水に浮かんで何をしているのか。なぜ水中でも平気なのか。生まれたとたんに呼吸ができるのはなぜなのか。そうした疑問に答えてくれるのが同書である。

先生役は長崎大学名誉教授で産婦人科医のマスザキさん。聞き手の生徒役は名うてのノンフィク

ションライター、サイショーさん。ご両人の絶妙な掛け合いで胎児の秘密が明かされてゆく。

先生マスザキは、子宮の中を「密室」と表現する。かつてそこは、外からは垣間見ることさえできない小宇宙だった。ところが、超音波診断装置の登場で、密室の中の胎児を「見る」ことができるようになった。

先生は、この道の大家である。かれこれ四〇年ほど前、産婦人科医になりたてだった先生は、この装置が大学病院の外科に一台だけあると知り、妊婦さんに頼んで胎児のおぼろげな姿を見せてもらった。そして、すっかり「はまってしまった」。

さてそれで、胎児は何をしているのか。「胎児はずっと寝てるんですよ」と、先生の答はあっけない。しかし生徒サイショーはその答では満足しない。「写真を見ると、目を開けている胎児がいますね。目を開けたまま寝ているんですか」と突っ込んでゆく。

ここで言う写真が、超音波診断装置で撮影した写真である。装置の改良で、今では胎児の表情まで読み取れるのだ。

胎児は、子宮という密室の中で眠り続けながらも、目や口を開けたり閉じたり、顔の表情を変えたり、しゃっくりをしたり、鼻から羊水を吹き出したり、驚かされることばかりだという。

それと、いちばん大事な仕事は、羊水を飲んではオシッコをすること。これで羊水の量はほぼ一定に保たれると同時に浄化されているらしい。先生はなんと、胎児の膀胱を観察することで、オシッコの量と回数を一〇時間連続で観察したとか。まさに好奇心の塊である（それに付き合った妊婦さんも偉い)。その結果、胎児は六〇分ごとに三〇ccのオシッコをしていることがわかった。一日に換算するとおよそ七〇〇ccという計算になる。

先生は、胎盤に関しても並々ならぬ思い入れがある。同じ受精卵から分かれて形成される胎盤は、たとえれば胎児の生命維持装置。しかしその寿命は出産までの九カ月ほど。それに対して本体は、それから何十年も生きる。胎盤は胎児の打ち上げロケットとして、出産と同時に切り離されて役目を終える。先生はこれを、1(胎盤)+1(胎児)=1(新生児)という式で表現する。わかったようでわからないところがまたおもしろい。

それ以外にも話は縦横に広がり、話の枕も『ドグラ・マグラ』[139]、『エヴァンゲリオン』、ダ・ヴィンチ、ダーウィン、三木成夫[140]、ゴジラ等々、多様な読者の琴線に触れる名が飛び出す。

同書は、さる講演会で同席し、マスザキ先生の胎児の話にサイショーさんがびっくりしたことで生まれた。妊娠出産は一期一会の奇跡である。同書の誕生もまたそれにたとえられるかもしれない。そもそもの仲人役はかくいう愚生ではあるのだが。

(138) 最相葉月、増﨑英明『胎児のはなし』(ミシマ社、二〇一九)
(139) 夢野久作『ドグラ・マグラ』(早川書房、一九七五/角川文庫(上下)、一九七六)
(140) 三木成夫『胎児の世界——人類の生命記憶』(中公新書、一九八三)

イギリス科学界の貴公子ドーキンスは、『利己的な遺伝子』[141]という扇情的なタイトルを冠した本を一九七六年に出版し（邦訳書の最初の出版は『生物＝生存機械論』という書名で一九八〇年）、読書界に鮮烈なデビューを飾った。生命の進化を突き動かしてきた究極の単位は、自己の複製増殖を至上命令とする自己複製子すなわち遺伝子であるというメッセージは、誤解も含めて各方面に大きな影響を及ぼしてきた。

処女作出版時にはオックスフォード大学で動物行動学を講じていたドーキンスは、その後、刺激的な内容の一般向け進化学書を次々と送り出してベストセラー作家となり、後に同大学の寄付講座教授として、一般向けの著作・講演活動に専念することになった。

六五歳になったドーキンスは、『祖先の物語』[142]を世に問うた。近影を見ると、相変わらず理知的でハンサムではあるが、髪はすっかり白く染まっている。大著のタイトルにも、さまざまな思いが込められているのだろう。

もっとも、同書の内容は、決して懐古趣味的なものではない。一般に生命の歴史を語る場合には、四〇億年近く前に起こった生命の起源から説き起こしてさまざまな生きものの盛衰を語り、われわれ人類へと至るというのがふつうである。ところがドーキンスは、生命の起源から現在まで連綿と続いてきた生物進化の系統樹を、現生人類から逆行するという、いわゆる倒叙法を採用している。そして、系統樹の枝分かれ地点に出くわすたびに、分岐点（結節点）上にいた祖先（彼はこれをコンセスターと命名している）にまつわる物語を語っているのだ。

チョーサーの『カンタベリー物語』を模して個々の結節点で語られる物語は、祖先をめぐる単なる解説ではない。それぞれが一冊の科学書に発展させられるほど含蓄に富んだ、きわめてぜいたくな内容である。同書一冊を読み通せば、現代進化生物学を総覧できるというしかけなのだ。俊才ドーキンスが腕をふるった豪華絢爛たるフルコースといったところだろうか。

しかし、人類を機軸に歴史を逆行する語り口には難点もある。人類の系統につながらないグループ、人類中心主義から見れば傍系にあたるグループ、子孫を残さずに潰えたグループについては多くを語らないまま置き去りにせざるをえないことである。いうなれば、勝ち組の歴史のみが語られる結果となるのだ。

それでもドーキンスがあえて人類のルーツを遡る巡礼の旅に出た大きな理由は二つ考えられる。一つは、創造論を掲げるキリスト教原理主義への反撃であり、もう一つは、好敵手スティーヴン・ジェイ・グールドのように進化の偶発性を強調する進化学の一派への牽制である。この本は、グールドの『ワンダフル・ライフ』へのアンチテーゼとも解釈できる。はからずもドーキンスは、自ら

（141）リチャード・ドーキンス『利己的な遺伝子』（日高敏隆ほか訳、紀伊國屋書店、一九九二、〔増補新装版〕二〇〇六、〔四〇周年記念版〕二〇一八）

（142）『祖先の物語――ドーキンスの生命史』（垂水雄二訳、小学館（上下）、二〇〇六）

に向けられたウルトラダーウィニスト（適応万能主義とも揶揄される立場）という批判を、むしろ誇らしい称号であると切り返している。一見懐古調のタイトルをもつ同書は、じつはきわめて政治的な意図を秘めてもいるのだ。

かつてぼくは、ドーキンスは説得される快感を味わわせてくれる著者であると書いたことがある。その点から言えば、同書の筆致はものたりない。それでもそこここで発揮されている筆の冴えは、さすがドーキンスである。

リチャード・ドーキンスは、どこまでも毅然としている。進化論争においても、宗教論争においても、決して自説を曲げることなく、矛先をゆるめることもない。おまけにスタイリッシュで名文家である。

そんなドーキンスの筆の冴えを堪能するのに絶好なのが、エッセイ集『魂に息づく科学』[143]である。ドーキンスが研究の現場を離れ、公衆への科学理解増進を担うチャールズ・シモニー教授職に就任して以降に発表したエッセイや講演をまとめたものだ。

チャールズ・シモニーは、エクセルやワードを開発した億万長者の伝説的プログラマーで、芸術と科学への慈善事業の一環として、一九九五年にオックスフォード大学に寄付講座を開設した。ほんとうの金持ちは、こういう財産のつかい方をする。

収録されているエッセイの多くは、科学の魅力と科学をめぐる誤謬退治にあてられている。ドーキンスは、自らカール・セーガン流派を標榜する。それは、「科学がもつ空想的で詩的な面、想像力をかき立てる科学」を称揚する立場だという。科学の実用面を強調したり、やさしくてわかりやすい説明に終始することには走らない立場でもあるという。

しかし、カール・セーガン流といわれても、説明が必要だろう。当世、若い世代にとっては、セーガンって誰？という状況なのだから。

セーガンは若くして惑星科学分野の研究者として頭角を現し、最初の一般向け著書『エデンの恐竜』[144]でピュリッツァー賞を受賞、宇宙の起源から人類の進化までを鮮やかに語りつくした科学番組「コスモス」のキャスターとして世界的に名を馳せた。疑似科学退治にも力を入れたところまで含めて、まさにドーキンスの活躍と重なるキャラクターなのだ。

そのドーキンスが矛を向ける先は、疑似科学を吹聴する輩だけでなく、科学への「敵意」を口にするチャールズ皇太子、宗教団体への非課税に理解を示す英国首相、エイズ予防には避妊具の使用ではなく欲望を抑えろと説くローマ教皇にまで及ぶ。

政治的ポピュリズム、すなわちドナルド・トランプ大統領の登場や、英国のEU離脱が安易な国民投票で決まったことにも、「いまこそこれまで以上に理性が主役になる必要がある」と警告する。同書の編集者がドーキンスを、未来を予言する黙示録の騎士と呼ぶ所以である。

（143）『魂に息づく科学――ドーキンスの反ポピュリズム宣言』（大田直子訳、早川書房、二〇一八）
（144）『エデンの恐竜』（長野敬訳、秀潤社、一九七八）

ドーキンスは、アインシュタインの「とても敬虔な無信仰者」という形容にも共感を表明している。ありていに言えば無神論者なのだが、スピリチュアルな感情には共感し、敬意も払う。しかしそのような感情は科学的に説明できるという立場だ。なればこそ、同書のタイトルに「魂」という言葉を使っているのだ（英語タイトルは『魂のなかの科学――情熱的な合理主義者のエッセイ集』）。

非理性的な不合理を攻撃するドーキンスの筆鋒は鋭い。しかし、変化球を繰り出すときもある。諧謔的な文章や文体を模したパロディも含まれているのだ。無神論を宣伝するキャンペーンを応援したエッセイは、「執事ジーヴス」シリーズ[145]のパロディというスタイルといった調子である。

とかく、わかりやすさや受け狙いが横行する風潮の中、合理主義の騎士ドーキンスのスタンスはとっつきにくくはある。しかし、ドーキンスファンのみならず、その名を知らない若い世代にも手に取ってほしい。そしてみんなで理性を取り戻そう。

とはいえ、セーガンに続いて、今やドーキンスって誰？となった昨今である。というわけではないが、そのドーキンスが全二巻からなる自伝を出版した。『好奇心の赴くままに　ドーキンス自伝I――私が科学者になるまで[146]』と『ささやかな知のロウソク　ドーキンス自伝II――科学に捧げた半生[147]』である。

イギリス人は伝記好きだと、当のイギリス人から聞いたことがある。しかもほとんど病的だと。たしかに、かの地の大きな書店に行くと、自伝も含めた伝記コーナーが相応の棚を占めている。なので、リチャード・ドーキンスが自伝を書いたことも、格段特別なことではないのかもしれない。

自伝を書く資格もある。なにしろ交友関係も含めて世界的なセレブなのだから。

全二巻に及ぶ自伝のうち、先に訳出された第一巻『好奇心の赴くままに』は、世に生まれ落ちてから科学者になるまでの、いうなれば「ぼくはいかにして科学者になったか」だった。出版が待たれていた第二巻では、科学者になってからの八面六臂の活躍が語られている。

ドーキンスの名を世に知らしめたのは、なんといってもサイエンスライターとしてのデビュー作『利己的な遺伝子』の出版だった。それまでは種の保存のため、個体の生存のための適応という文脈で説明されていた行動や形態を、遺伝子レベルでの適応度で語るというパラダイム転換の一翼を担った著書だ。そのような改革が思いのほか狭いコミュニティで進められた様子が明かされていて興味深い。

一九九七年、コスモス国際賞受賞のために来日したドーキンスにインタビューをした。その折、

(145) イギリスのユーモア作家P・G・ウッドハウスによる、執事ジーヴスとその主人を主人公にした連作小説。
(146)『好奇心の赴くままに　ドーキンス自伝I――私が科学者になるまで』(垂水雄二訳、早川書房、二〇一四)
(147)『ささやかな知のロウソク　ドーキンス自伝II――科学に捧げた半生』(垂水雄二訳、早川書房、二〇一七)

動物行動学を選んだきっかけを尋ねたときの答が印象的だった。「特段動物の研究がしたかったわけではなく、進化学の研究に触れ、これならば自分の哲学趣味にかなうと思った」というのだ。そのあたりの事情についても同書でも語られている。

趣味は何かという問いに対する、「コンピュータプログラムと読書かな」という答も印象的だった。それについても、同書では詩や小説からポピュラーサイエンスブックまで幅広い読書に裏づけられた教養の深さと、進化をシミュレートするプログラミングへのギークぶりが披露されている。

ベストセラー作家となったドーキンスは、たちまちメディアの寵児となったのかと思いきや、当初はためらいがあったという意外な話も同書で明かされている。だがやがてドーキンスは、進化だけでなく科学全般のメッセンジャーとしての使命感に燃え、科学を語る騎士としての活動に専念するようになった。しかも無神論者を公言し、宗教家とのディベートを自らプロデュースするほどまでに。

ドーキンスの「宿敵」と目される故スティーヴン・ジェイ・グールドに関する言及も数カ所あるが、いずれもその紳士らしからぬ態度への揶揄が特徴的だ。しかし同年生まれのこの二人、ヤンキーとジョンブルという好対照のキャラながら、存外似た者どうしだったのではないか。グールド進化理論の遺書的大著[148]を訳出し終えた直後に同書を読んだぼくは、同書でドーキンスが語る進化理論の拡張に既視感を覚えた。

たとえばグールドは、遺伝子、個体、種、その上の分類群それぞれでの階層論的な淘汰を主唱する。対するドーキンスは、遺伝子の生き残り戦略は個体、種、環境へと拡張されてゆくと唱える。現生動物の行動解析から出発したドーキンスと、化石動物の種分化の研究を起点とするグールドの視点の違いといってすませられるのかどうか。あるいは、オックスフォード大学伝統の淘汰適応論の体現者たるドーキンスとしては、それに対する批判に胸襟を開くわけにはいかなかったのかもしれない。

それにしてもやはり、いかにもイギリス的でハイソな自伝という形式には戸惑いも覚える。もしかして、かつての貴公子の盛大な喜寿祝いの引き出物として楽しめばいいのかな。

社会生物学の衝撃

三〇年前、縦横二六センチ、厚さ四センチ、重さ二・七キロ、全七〇〇ページの大部な本がアメリカで出版された。著者はアリ研究の大家でハーヴァード大学教授のE・O・ウィルソン、書名は『社会生物学』(149)。それが大論争のはじまりだった。

その大著は、いうなれば社会行動の百科全書だった。粘菌という植物とも動物ともつかない不思

---

(148) スティーヴン・ジェイ・グールド『進化理論の構造』(渡辺政隆訳、工作舎、近刊)
(149) エドワード・O・ウィルソン『社会生物学(合本版)』(坂上昭一ほか訳、伊藤嘉昭監修、新思索社、一九九九)

議な生き物から始まって、あらゆる生物の社会的行動が網羅されている。もちろんヒトの行動も。

そのどこが論争を呼んだのか。行動の基盤はすべて生物学的に決まっており、体系化が可能であるとウィルソンは主張した。アリはたしかにそうだろう。しかし、ヒトもアリも根は同じと言われると、たいていの人は動揺する。しかも、第一章のタイトルは「遺伝子の道徳性」。これはあくまでも比喩なのか、それとも著者は本気で、ヒトも遺伝子の操り人形にすぎないと主張しているのか。

ただちに攻撃の火の手があがった。その急先鋒は、「科学の誤用・悪用」にとりわけ敏感な一派。ウィルソンの論調に、個々人の行動は生まれつき遺伝的に決まっていて、教育や環境でも変わらないとする「遺伝的決定論」のにおいをかぎつけたのだ。ウィルソンも即座に反論した。この論争がことさら耳目を集めたのは、批判派の主役に、ウィルソンと同じ大学、それも同じ建物の同僚がいたことだった。

『社会生物学論争史——誰もが真理を擁護していた』(150)は、四半世紀に及ぶその論争を間近で観察し続けた科学社会学者による回顧と分析である。全体は三幕ものオペラになぞらえられている。登場人物は業界のセレブたち。論争の勝者は誰だったのか。勝者も敗者もいないと、著者は結論する。結果的には、「善い科学」とは、科学における「真理」とは何かをめぐる考え方の違い、あるいは政治信条の違いが浮き彫りにされた。大西洋もまたいだ論争は、自浄作用も果たした。

論争が太平洋をまたぐことはないまま、日本では、浮気遺伝子とか恋愛遺伝子など、ポップな社会生物学が輸入された。なればこそ、同書の刊行に意義がある。人間の本性とは、科学は誰のためのものなのかについても大いに考えさせられる。

説明原理の変更

四半世紀以上前までは、たとえば母親が産む子どもの数を決めている環境条件は何かが、動物の生態や行動研究における一大テーマだった。そしてたいていの答は、食物の量だった。

ところがその後、問題設定のスタイルが様変わりしてしまった。生物の特徴や行動は「何で決まっているのか」ではなく、「誰が決めているのか」を問うスタイルへと変貌したのだ。先ほどの例で言えば、子どもの数を決めている「条件」を問うのではなく、決めているのは母親なのか父親なのか、あるいは子ども自身なのかと、行動の主体を問うのである。

これは、ある特定の行動は誰の得になるのかを問題にすることでもある。かつてはここで、「種の存続」のためという説明がされていたが、今は誰もそんなことは言わない。個々の個体が、自分の「遺伝子」を少しでもたくさん残すためという言い方をする。あるいは、「自分の血筋」を少しでも多く残すためという言い方をしてもいい。

しかしそうなると、繁殖に関わる行動一つとっても、母親、父親、子どもという三者の利害衝突

---

(150) ウリカ・セーゲルストローレ『社会生物学論争史——誰もが真理を擁護していた』(垂水雄二訳、みすず書房(全二巻)、二〇〇五)

が生じうる。この三者間の利害を調整するのは、自然淘汰の冷徹な作用である。

　このような視点の変更を迫った事実として、雄による子殺しの発見があった。たとえば新たに群れを乗っ取った雄が、追い出した雄の子どもを殺し、その母親とさっそく交尾をするというショッキングな行動である。しかもこの行動は、ハヌマンラングールというサルで見つかったのをきっかけに、チンパンジー、ライオンなどさまざまな動物で見つかった。

　じつはこの行動を見る視点自体も一大転換を遂げてきた。当初は、単純に雄が自らの親権を拡大するための利己的な行動と見られていた。しかし視点を変えると、これは雌にとっても必ずしも損な行動ではない。群れを乗っ取った雄にどのみち子どもを殺されるなら、早々に殺されたほうが、子育てへのむだな投資を節約できるからである。また、群れ生活をする動物の雌は、複数の雄と積極的に交尾をする。利己的な雄なら、わが子かもしれない子どもを殺しはしないだろうとの打算からだ。

　このような功利的な視点は、「高等」なサルである人間にも向けられた。『マザー・ネイチャー』(151)の著者ハーディーは、サルを研究する人類学者として、また三人の子の母として、そのような視点の転換を牽引してきた主役の一人である。同書では、広範な文献を縦横無尽に引用しつつ、「母性の本質（マザー・ネイチャー）」に取り組んでいる。

　人間の母親には、子どもを慈しむ本能があるとされている。しかし、そんな「母性」は男性優位社会につごうのよい神話であると、フェミニストは反論する。それに対して自身もフェミニストである著者のハーディーは、母性は「本能説」と「神話説」という二項対立では解決できない複雑な特質であると説く。「母なる自然（マザー・ネイチャー）」を改変することまでも学んでしまった人間は、かなりひねくれた存在だからだ。ずっしりと読みごたえのある、しかし思考の転換を迫らずにはおかない刺激的な書である。

そうなのだ、ヒトとても動物なのだ。それも猿の一種にすぎない。頭ではわかっていてもなかなか受け入れがたいこの事実を否応なく突きつけて説明原理をひっくり返したのが、動物行動学者デズモンド・モリスが一九六七年に出版した『裸のサル』[152]だった。

その書は、書名だけでなく内容も挑発的だった。女性の胸もお尻も、それどころか唇までもがセックスアピールのために進化した特徴だと主張したり、ヒト独特の体位を強調したりとか。セックスとヒトの進化を初めて真正面から取り上げてタブーを破った画期的な本だったのだ。

時代は移り、今やテレビでもベッドシーンが堂々と流れ、ウェブ上にはセックス情報があふれて

---

(151) サラ・ブラファー・ハーディー『マザー・ネイチャー――「母親」はいかにヒトを進化させたか』（塩原通緒訳、早川書房〈上下〉、二〇〇五）

(152) デズモンド・モリス『裸のサル――動物学的人間像』（日高敏隆訳、河出書房新社、一九六九／角川文庫、一九七九、〔改訂版〕一九九九）

(153) メアリー・ローチ『セックスと科学のイケない関係』（池田真紀子訳、日本放送出版協会、二〇〇八）

いる。その一方で、生身の女性とのコミュニケーションを避ける若い男性が急増中でもある。

　しかし、セックスをめぐる話題は氾濫していても、医学的な情報は依然として秘されがちである。「正しい」知識を学校で教えることにも猛反発がある。

　ただ、何が正しいかは難しい。倫理的な面は別にして、少なくとも医学的、科学的な面では未知な部分がまだまだ多いのだ。セックスをめぐる科学は、未だ発展途上なのである。『セックスと科学のイケない関係[153]』は、あまり公然と語られることのないセックス（性行為）の科学とその周辺を体当たりでリサーチした愉快な読み物である。

　セックスの科学的研究が遅れているのは、科学研究費を正面きって申請しにくいからだ。研究室の奥にベッドを用意し、そこで被験者のカップルに事に及んでもらい、それを仔細に観察測定するという研究を、いったいどうやって申請すればいいのか。必然、動物実験ばかりが先行してきた。

　それでも一九五〇年代に先進的な調査をしたキンゼイなど、果敢な挑戦者はいた。同書では、そうした先人たちのエピソードも紹介されている。

　先端的な研究では最新の画像診断装置ＭＲＩも使われている。あの狭い装置の中に被験者二人が入り、あの瞬間、あそことあそこはどういう位置関係にあるのかを透視しようというのである。おもしろいが、ちょっとイケない科学を紹介した愉快な本だ。

10 人類という存在

巨匠のメッセージ

映画史に金字塔のように輝く一作、スタンリー・キューブリック監督の「2001年宇宙の旅」[154]は、「光あれ」で始まる。長い暗転が続き、観客を不安にさせたところで一条の光を差し込ませるという仕掛けは、「創世記」の冒頭の一節を想起させずにはおかない。

というわけで、この作品はきわめて宗教的であることを隠そうとはしていない。時空を超えた創造主的存在を大前提としているという意味でも。ただし、主題曲に、「神は死んだ」と宣言したニーチェに触発されてリヒャルト・シュトラウスが作曲した「ツァラトゥストラはかく語りき」を使用しているという皮肉は別にして。

もっとも、この映画については何を語っても今更の感はぬぐえない。なので、あくまでも自家薬籠中の素材が適用できる範囲でのコメントに絞りたい。それもとりあえず二点に絞って。

まず突っ込みたいのは、冒頭のモノリスと猿人のシーン。謎の漆黒の物体モノリスに触れた猿人は、まるで知恵の実をかじったイブのように堕落し、道具の使用と肉食の味を覚え、一気に凶暴化する。

じつはこれ、南アフリカで猿人アウストラロピテクスを発掘した人類学者レイモンド・ダート[155]の説に依拠している。ダートは、猿人化石といっしょに石器が多数見つかったことから、無力な猿人が石器という武器を手にしたことで人類進化が加速されたという仮説を唱えたのだ。

この映画は、作家アーサー・C・クラークと映画監督スタンリー・キューブリックという二人の異才がタッグを組んだ作品である。人類と文明の行く末を危惧した二人は、武器の使用が人類の起源に結びついたという仮説に飛びついたのだろう。

ぼくがこだわりたいもう一点は最後、精子の形状に似た宇宙船の飛行士が胎児となってブラックホールのような場所に吸い込まれていくシーン。

これは、人類を造り損ねた宇宙の創造主がリセットを図ったということともとれる。

しかし瀬名秀明さん[156]によれば、クラークは楽観的な懐疑主義者であり、宗教的な人間ではないという。したがってそこに宗教的な意味をとるべきではないのだろう。キューブリックにしても、宗教的な人間とは思えない。

映画館で初めてこのシーンを観たときの感想は、「個体発生は系統発生を繰り返す」、すなわち生

(154) スタンリー・キューブリック監督「2001年宇宙の旅」(一九六八、アメリカ)
(155) レイモンド・ダート『ミッシング・リンクの謎』(山口敏訳、みすず書房、一九七四)
(156) 瀬名秀明『「アーサー・C・クラーク」スペシャル』(100分de名著、NHK出版、二〇二〇)

物進化の道筋はその生物個体の発生過程に再現されているという毀誉褒貶の激しいテーゼ、生物発生原則の裏返しだなというものだった。

このテーゼは否定されて久しいのだが、いまだにけっこう人気がある（9章参照）。ヒトの胎児の発生は、魚、爬虫類、他の哺乳類の各段階を繰り返しているように見えるからだ。

しかし、そのすべてを繰り返すとしたら、とても十月十日（とつきとおか）（正確には九カ月）という妊娠期間では足りるはずもない。

いや、科学的に不正確だからこの映画はダメだと言いたいわけではない。むしろ、科学を果敢にアートに取り込み、両者の間合いを埋めたという点で、ぼくが目指す一つの理想である。科学はアーティストの創造力を刺激してやまないネタにあふれている。

私たちは何者なのか

ひところ、出版界はちょっとした歴史ブームだった。世界史をさまざまに読み解く解説本の新刊が目についた。学校教育における歴史教育への政治の介入も世を賑わせた。

ちなみに、歴史を日本史と世界史というように国内外二つに分けて教えるのはグローバルな基準ではないという。たとえばヨーロッパで、フランス史、ドイツ史という区分けにいかなる根拠があるかを考えてみればいい。最小の区分けはヨーロッパ史であるべきであり、人為的な国境による区分けに意味はないのだ。

その伝でいけば、世界史という区分も妙な響きを帯びる。現生人類の歴史はたかだか二〇万年。そのうち文字史料で語れる「歴史」はたかだか七万年にすぎない。人類を生み出した生命の歴史は三八億年。その生命のゆりかごたる地球の歴史は四六億年もある。宇宙の歴史に至っては一三八億年だ。

そんなスケールに立った視点から歴史を語ろうとする試みがビッグヒストリーである。歴史学者デヴィッド・クリスチャンがオーストラリアのマッコーリー大学で一九八九年から開始した講義がその起点だった。

宇宙開闢のビッグバンから説き起こし、人類の歴史は狩猟採集時代、農耕時代、近代という大きなくくりで概観する。ローマ帝国や、宗教戦争、世界大戦などを軸に語ることはしない。この講義のDVDを二〇〇八年に観たビル・ゲイツはいたく感動し、一〇〇〇万ドルを寄付して世界配信のプロジェクトを支援している。この壮大な歴史語りのエッセンスをギュギュッと圧縮したのが『ビッグヒストリー入門』(157)である。

人類の歴史を上記の三つの時代に分けると、いささか居心地の悪い事実を突きつけられる。狩猟採集時代が全体の九五パーセント以上を占め、農耕時代は一万年ほど、近代に至ってはわずか二五

(157) デヴィッド・クリスチャン『ビッグヒストリー入門――科学の力で読み解く世界史』(渡辺政隆訳、WAVE出版、二〇一五)

〇年にすぎないのだ。

ルース・ドフリースの『食糧と人類』[158]では、食糧増産のために人類が重ねてきた創意工夫の歴史が語られている。しかし農業生産も工業生産も、それを支える基盤的資源は太陽であり、地中の鉱物資源である。いずれも有限だ。いずれは避けがたい資源の枯渇を見据えつつ、実現可能な打開策は未だに見出せていない。右肩上がりの近代が、むしろ残された時間を縮めているのではないのか。

では、農耕の発明（農業革命）に先立つ一九万数千年の狩猟採集時代は何だったのだろう。長い助走期間にすぎなかったのだろうか。その間に人類は、徐々に知能を発達させたのだろうか。いやそんなことはなかったと、ユヴァル・ノア・ハラリの『サピエンス全史』[159]は断言する。その間、人類の脳に大きな変化はなかったし、農耕時代の平均的な農耕民は、平均的な狩猟採集民よりもあくせく働かされ、食べ物も劣っていたという。

ハラリは、ジャレド・ダイアモンドの名著『銃・病原菌・鉄』[160]を参照しつつ、「農業革命は、史上最大の詐欺だったのだ」とまで言い放つ。

ハラリはここで視点の逆転を提案する。農業革命を推進したのは栽培化された作物であり、人類はむしろ家畜化されたのだと。その証拠に、小麦や米、トウモロコシは世界中で栽培され、種族として大繁栄しているではないか。われわれのほうが家畜化されたのだ。それでも農耕により、単位面積当たりの生産量が増加し、人口は急増した。人類は、個人としてではなく、種としてその恩恵に浴した。その恩恵を維持すべく、人類は宗教や哲学、科学を考案してきた。ハラリの書は、「全史」というよりはむしろ「サピエンスの正体」ともいうべき内容となっている。

かくして人類は、人口増加を支えるために地球環境を改変してきた。ここにきて、過去二〇〇〇年は、新しい地質年代「人新世（アントロポシーン）」として区分けすべきだという提案までなされている。この視点から、歴史を見直すときがきているようだ。

ハラリが一目置くジャレド・ダイアモンドは、一九七〇年代にニューギニアの鳥類群集に関する論文を立て続けに発表し、多彩な才人として、そのころすでに伝説的な色彩を帯びていた。

彼の本職はあくまでも生理学（当時はカリフォルニア大学医学部教授）であり、生態学は余暇の片手間仕事。ピアノは玄人はだし、密林で姿の見えない鳥の種類は絶対音感で鳴き声を聞き分けて識別。何カ国語にも通じている、などといったうわさが漏れ伝わっていたのだ。

そんなわけで、一九九八年一〇月、コスモス国際賞を受賞するために来日した際には、さっそく本人に事の真偽を確認しないわけにはいかなかった。

彼のバードウォッチング歴は七歳に始まる。生理学で博士号を取得した後も鳥にかける情熱絶ち

(158)『食糧と人類──飢餓を克服した大増産の文明史』（小川敏子訳、日本経済新聞出版社、二〇一六）
(159)『サピエンス全史──文明の構造と人類の幸福』（柴田裕之訳、河出書房新社（上下）、二〇一六）
(160)『銃・病原菌・鉄──一万三〇〇〇年にわたる人類史の謎』（倉骨彰訳、草思社（上下）、二〇〇〇／草思社文庫（上下）、二〇一二）

がたく、一九六三年にはアマゾン、一九六四年からは三年続けてニューギニアへの冒険探鳥旅行を敢行した。そして一九六六年、群集生態学の革命児、故R・マッカーサーとの運命的な出会いをし、研究の方向が定まったという。それ以来彼は、生理学者と生態学者という二つの顔を使い分け、一九八〇年代に入ってからは、比較生理学的な研究を進化生理学と命名し、進化学を軸に両者の統一を図ってきた。

子ども時代から文学や語学など幅広い興味を抱いてきたダイアモンドは、折に触れて科学エッセイを発表し、それらから発展させた『人間はどこまでチンパンジーか？』[161]（原題は『第3のチンパンジー』）を一九九一年に世に問うた。これは人類進化の歴史を進化生物学、分子生物学、人類学、地理学、民俗学、言語学等々、幅広い知識を援用して概観した意欲作で、英米の出版賞に輝いた。その六年後、人類の旧石器時代（一万三〇〇〇年前）以後の歴史を、同じような観点からさらに壮大なスケールで描いた『銃・病原菌・鉄』が、一九九八年度のピュリッツァー賞と一九九八年度のコスモス国際賞に輝いた。

この本の内容を一言で要約すれば、文明の発達度に見られる人種・民族間差は、一般に誤解されているような遺伝的能力の差ではなく、居住環境の差異だったというものである。氷河期が終わり、世界各地に分散して狩猟採集生活を営んでいた人類は、高い適応能力をフルに発揮し、それぞれの環境に適した生活を発展させていった。ところが皮肉なことに、そのことが逆に、文明発展の地域間格差をもたらしてしまったというのだ。

なぜならば、創意発明の才は全人類に共通ではあったが、作物化あるいは家畜化できる野生動植物が生息していない場所では、農耕を基盤とした定住生活に入ることなど望むべくもなかったからである。

また、他の地域で開発された作物、家畜文化などの伝搬も、地理的、環境的条件によって翻弄された。かくして、病原菌耐性、文字、鉄器などを欠いていたアメリカ大陸はヨーロッパ人にたやすく踏みにじられ、ニューギニアやアマゾンなどでは、狩猟採集生活をする「裸族」が最後まで残った。

要約すると単純にして明白に聞こえるが、これを博引旁証し、説得力豊かに論じるダイアモンドの才知や筆力には恐れ入るしかない。ライバルがいるとしたら、一九九七年度コスモス国際賞の受賞者ドーキンスだろうか。しかしおもしろいことに、ダイアモンドはドーキンスの著作は一冊も読んだことがないと、ぼくの問いに答えた。

唯一残念な点があるとしたら、著者のオリジナリティが一部判然としない点だろう。しかし、知的好奇心を満たしてくれる必読の書であることはまちがいない。

---

(161)『人間はどこまでチンパンジーか?——人類進化の栄光と翳り』(長谷川眞理子・長谷川寿一訳、新曜社、一九九三)

いうまでもなく、人類も生物の一種にすぎない。しかし、どこかしらユニークで特別な存在だと思いたいのが人情である。

ダーウィンに始まる動物行動学は、人類と他の動物が共有する行動パターンを明かしてきた。かつては、文化は人類に特有のものだと信じられていた。しかし、ニホンザルのイモ洗い行動やチンパンジーの道具使用、あるいはイギリスにすむアオガラという小鳥の牛乳瓶のふた剝がし行動など、他の動物にも文化があり、それが仲間に広まることが見つかった。

それでも人類の文化は他の動物のそれよりもはるかに高度ではある。それはなぜなのか。ヘンリックの『文化がヒトを進化させた』[162]は、その疑問に答える。

これまで科学は、化石や遺伝子、近縁な類人猿の研究などによってその疑問に答えてきた。しかし、決定的な駒が欠けている感が否めなかった。

人類史を見直したハラリの『サピエンス全史』は、人類が最も幸福だったのは長かった狩猟採集時代だったと喝破した。生物進化が造り出した人類は根っからの狩猟採集生活者だったのだろうか。ヘンリックの答は否だ。現存する狩猟採集民は、文化として伝えられていた生活のノウハウを失

---

(162) ジョセフ・ヘンリック『文化がヒトを進化させた――人類の繁栄と〈文化‐遺伝子革命〉』(今西康子訳、白揚社、二〇一九)

うと、途端に路頭に迷ってしまう。人類は地球上のさまざまな環境で暮らしている。北極圏にすむイヌイットは、極寒の地で生きるための知恵を身につけている。しかし、毎回ゼロからそうした知恵を編み出しているわけではない。部族の年長者から若い世代が学んでいるのだ。毒キノコや毒草の知識についても同じことだ。タピオカの材料となるキャッサバは、毒抜きの方法を知らないとシアン中毒を起こす。原産地では、理由の説明はないまま、その方法が母から娘へと伝えられてきた。いずれもその都度ゼロからの創意工夫で対処できるほど甘い生活ではないのだ。

狩猟採集生活は遺伝的な適応ではなく、狩猟採集生活という文化の踏襲なのである。むしろ人類の特筆すべき遺伝的資質は、周囲から知恵を学んでそれを伝えられることにこそあるという。

そもそも幼児は、何事にかかわらず、見知らぬモノを恐れ、年長者の行動を熟視して模倣する性質を生まれつき備えているという。経済ゲームの参加者は、成功例を模倣する傾向が強い。この遺伝的な気質は、文化の模倣がもたらした成功によって強化され、獲得されてきたものだ。つまり人類の形態的特徴や心的能力は、そうした模倣を可能にする方向で自然淘汰の洗礼を受けてきたことになる。この因果関係を、著者は文化進化と呼ぶ。

著者のヘンリックは、人類進化のユニークさの起源を探るべく、生物学に加えて、文化人類学、経済人類学、心理学などの社会科学を駆使することでこの結論に至った。同書は二〇年に及ぶその研究成果の集大成である。『サピエンス全史』に勝るとも劣らない読書体験を味わえる瞠目すべき書だ。

異文化との遭遇

文化の学習と伝搬を支えているのが言葉である。オーストラリア先住民のアボリジニは、文字はないが、創世神話を口伝で伝えてきた。ところがそうした物語をもたない部族もいる。

挨拶は人間関係の潤滑油だといわれている。ぎすぎすしがちな現代社会で起きていることを考えると、挨拶の言葉が存在しない社会は想像するだに恐ろしい。

しかし、現実はいともたやすく想像を裏切る。挨拶が存在しないのに、人々が和気あいあいと暮らす社会が実在するのだ。それは、アマゾンの奥地、マイシ川の沿岸四〇〇キロほどの地域で暮らすピダハンと呼ばれる三〇〇人ほどの人々である。

アメリカ、ベントレー大学教授のエヴェレット[163]は、伝道師として、ピダハン語訳聖書作成の使命を帯び、言語学、人類学の理論で武装して現地に赴いた。ところが、ピダハン語を習得するにつれて言語学の定説だけでなく、自身の価値観も揺らぎ出す。

ピダハン語には、従属節、数詞、色や複雑な家族関係を指す言葉、左右を表す言葉など存在しないものが多い。それらを必要としない文化なのだ。たとえば方向は、マイシ川の上流側か下流側かで表現される。数に替わる概念は相対的な量で表される。

どれもこれも、従来の言語学、人類学の定説に反することばかり。従属節がないため、一文はと

---

(163) ダニエル・L・エヴェレット『ピダハン』(屋代通子訳、みすず書房、二〇一二)

ても短いが、ピダハンはとてもおしゃべりでよく笑う。のべつ幕なし、夜昼関係なく、おしゃべりしている。必要なときに寝て必要なときに食べる社会なのだ。

人間には普遍的な文法が遺伝的に組み込まれているというのが言語学の定説である。ピダハン語は普遍的な文法則にあてはまらない。独自の文化が生み出した独自の、必要十分な言語なのだ。

ピダハンは、周囲の環境でうまく生き抜くための知恵を備えており、狩猟採集民として満たされた生活を送っている。外の世界をうらやんだりはしない。創造神話など架空の物語にも関心がなく、現実の体験のみについて語る。過剰な儀式もない。必然、誰も会ったことのないキリストの言葉など信用しない。彼らに神は必要ない。

ピダハンの豊かな精神世界に触れたエヴェレットは、ついには信仰を失う。逆に改宗させられたのだ。

満たされた生活とは何か、定説とは何かなどについて再考を迫る刺激的なノンフィクションである。

一方、スタンフォード大学教授のサポルスキー[164]は、長年にわたってケニアの草原でアヌビスヒヒを研究してきた神経科学者である。彼は研究対象のヒヒに、旧約聖書に登場する人物の名前を付けて識別している。子ども時代は敬虔なユダヤ教徒だったが、物心ついて無神論者となった彼なりのブラックジョークらしい。

曰く、いつかフィールドノートに「ネブカドネザルとナオミが交尾のために茂みに消える」と書く日を期待していたとか。ユダヤ民族の大敵とユダヤ人賢母の象徴の交尾を期待するとは、なんともはや。

草原のヒヒになる（彼はそう表現する）ことはサポルスキー少年の将来計画にはなかった。高地の雲霧林にすむマウンテンゴリラの一員になるはずだったからだ。

しかし、群れ社会での生活が及ぼすストレスの研究に関心をもったことで、希少種ではないヒヒを研究対象とするしかなくなった。

大学院に進学して二一歳で研究を開始してから四〇年以上にわたるヒヒ人生の始まりだった。行動観察から始まった研究は、吹き矢で麻酔を打って血液を採取し、ストレスホルモンを調べる研究へと進んだ。同書では最初の三〇年あまりの思い出が綴られている。

アフリカでの研究は異文化との接触である。周囲にはマサイを始めさまざまな部族がいて、それぞれ文化が異なる。都会には泥棒や詐欺師がいる。国境を越えればそこでは部族紛争や政変が起こっている。観光業でも問題多発。サポルスキーは傷つき、怒りながらも、都会のストレスから逃れるように、サンフランシスコからアフリカに戻る生活を繰り返してきた。

日本のサル学者にも文才に長けた人が多いが、サポルスキーの文章の冴えは特筆に値する。諧謔

(164)　ロバート・M・サポルスキー『サルなりに思い出す事など――神経科学者がヒヒと暮らした奇天烈な日々』（大沢章子訳、みすず書房、二〇一四）

の底に抑えがたい憤りを含んだ文章とでも言えばよいのだろうか。それでいてアフリカとヒヒへの愛に満ちている。老いたヒヒのヨシュアと並んでクッキーを食べるラストシーンは圧巻である。

11 科学が変える人生観

科学と文学

「科学の世界と文学の世界には共通点が多い」との一文で『ガイアの素顔』[165]は始まる。その心は、いずれも国境や人種の壁を易々と越えるユニバーサルランゲッジだからだという。

そう語る著者フリーマン・ダイソンは、若くして頭角を現した早熟な理論物理学者にして、五五歳で出版界にデビューした遅咲きの文筆家である。

ただし、文筆に関してもじつは早熟気味だったようだ。『ガイアの素顔』は、一九八〇年代までに書かれた小文を集めたエッセイ集なのだが、いちばん古い収録作品は、なんと九歳のときに書いた「エロスと月の衝突」と題された未完の短編ＳＦなのである。

『ガイアの素顔』の主題はほぼ一貫して科学と社会だが、知識と興味の赴く範囲が広いうえに、本気とも冗談ともつかない発言が、ダイソンの持ち味でもある。

朝永振一郎、シュウィンガー、ファインマンのノーベル賞同時受賞の業績をわかりやすく語ったかと思うと、有人火星探査は死の惑星に生命をもたらすエコロジーゲームだなどという見解を大まじめで披露するといった調子である。

あるいは、「私は科学者だから、予測不可能なことの専門家だ」という発言が、じつは逆説ではなかったりする。常識を打ち破り、「予測不可能な夢を実現させることこそ」が、科学ばかりか一般社会の課題であるとの着地点が、最後に用意されているからである。

そんな予測不可能性の専門家が四分の一世紀あまり前に下した託宣が、現時点においてなお、きわめて重みがあるから驚きだ。むしろ、科学教育や巨大科学のマネージメントに関する意見には、理科離れや最高の技術を尽くした科学技術のひずみが露呈している現時点でこそ、傾聴に値する点が多いとさえいえる。

ダイソンは、若者が科学を嫌う理由として、（1）権威主義的、（2）実利主義的、（3）核兵器などへの悪しき貢献をあげている。彼は、こうした醜悪な面を隠すのではなく、三つの美しい面とあわせて自由に科学を探求することを教えるべきだという。その三つとは、（1）科学は芸術の一形態である、（2）科学には権威を打破する力がある、（3）国家の枠を越えた国際性をもつことだという。

ダイソン自身が科学にひかれたのは、八歳から一二歳までを過ごしたイギリスのプレップスクールでの体験だった。名門パブリックスクール進学準備のためにそこで行なわれていた教育は、ラテ

（165）　フリーマン・ダイソン『ガイアの素顔――科学・人類・宇宙をめぐる29章』（幾島幸子訳、工作舎、二〇〇五）

ン語やギリシア語などの古典が中心で、科学の授業はなかった。強権的な校長と、サッカーフリークの学友たちからの逃避先として、科学に走ったのだという。

曰く、「科学とは無知に対する知の反逆であり、虐げられた者による抑圧者への復讐であり、横暴と憎悪のただ中に息づく自由と友情の聖域である」

『ガイアの素顔』は、首都ワシントンのまん中で土曜の真っ昼間に強盗に襲われ、倒れた地面から木々の緑と青空を見上げ、自然の懐（ガイア）に抱かれた思いを覚えるエッセイで終わっている。米国科学アカデミーの委員会に出席する道すがら、著者五五歳のときの出来事だった。

そのときに受けた啓示が、「人間性の複雑さの源は、知性にではなく情緒にある。知的能力が目的を達成する手段なら、何を目的とすべきかを決定するのが情緒である」というものだった。ガイアと情緒の絆を保っているかぎり、人類は健全だと、ダイソンは語っている。

その後ダイソンは、アメリカ先住民のシーカヤックを復元した息子と何十年ぶりかの再会を果たすことになったはずである。[166] なるほど、人生いや自然は、予測不可能だからこそおもしろい。

雪の殿様

世界的に大ヒットした映画「アナと雪の女王」[167]、日本では略して「アナ雪」とも呼ばれているようだが、原題は「フローズン」。雪と氷を自在に操れる秘密の能力を知られたエルサが氷の城にこもったせいで、国中が凍りついてしまうのだ。その氷を解かすのは愛の力、ただし白馬に乗った王子様の愛の力ではないところが味噌。

大ヒットの原動力は、なんといってもあの歌、一度聴いたら耳につく「♪レリゴー」だろう。秘密を捨てて吹っ切れたエルサが、日本語版では「ありのままで」と訳されているあの歌を歌いながら氷の城を造るシーンは文句なしに美しい。ウェブで公開されている動画は何度見ても飽きない。思わずいっしょに歌いたくなる。

そのシーンを彩るのが雪と氷の結晶の美しさだ。特にエルサが地味な服を脱ぎ捨ててまとった女王のドレスを飾る繊細な雪の結晶模様。もしかしたらこのデザインも世界を席巻するかも。

ブームの先取りではないが、日本では江戸時代にすでに雪の結晶模様が大流行していた。当時は雪の結晶を雪華（せっか）と呼んでいた。なんとも優美な呼称だ。

雪華ブームの大本は、老中も務めた下総古河（こが）藩の城主土井利位（としつら）侯。利位は、オランダ伝来の顕微鏡を入手し、雪の結晶を観察してそのスケッチを『雪華図説』という私家版にまとめた。雪の結晶には千変万化の変異があることを世に知らしめたのである。天保三年（一八三二年）のことだった。

（166）ケネス・ブラウワー『宇宙船とカヌー』（芹沢高志訳、ＪＩＣＣ出版局、一九八四／ヤマケイ文庫、二〇一四）

（167）ウォルト・ディズニー・アニメーション・スタジオ製作、クリス・バック、ジェニファー・リー監督「アナと雪の女王」（前出注93）

雪華ブームの直接の火付け役となったのは、鈴木牧之(ぼくし)が著した『北越雪譜』[168]。雪国の暮らしぶりを描き、江戸のベストセラーとなったこの書に、『雪華図説』からの図版が再録されていたのだ。繊細な雪華模様は江戸の人々を魅了し、小物や手ぬぐいから着物まで、小粋なデザインとして採用された。サイエンスが文化に溶け込んだおしゃれな例というべきだろう。

大坂城代の任にあった利位は、大塩平八郎の乱を収めた。また、大坂城の庭で雪の観察をしたと伝えられている。しかしかなりの低温じゃないと、顕微鏡での直接観察はできない。

じつは、当時の日本は江戸小氷期と呼ばれるほど寒冷で、江戸でも大坂でも雪が珍しくなかったらしい。まさにフローズンな世界だったのだ。そんな中で雪見酒にふけることなく、顕微鏡観察に勤しんだ殿様がいたのである。しかも、雪と氷の宮殿と化した大坂城内で。

その一〇〇年後、北海道の地でサイエンスとアートを融合させた研究者がいた。夏目漱石の薫陶を受けて随筆家としても名を成した物理学者、寺田寅彦の高弟、中谷宇吉郎である。東京の理化学研究所からイギリス留学を経て北海道大学に籍を得た中谷は、その地でいちばん豊富に手に入る材料を研究対象に選んだ。雪の結晶である。

千変万化の雪華の秘密は、結晶が成長する上空の気象条件にあると睨んだ中谷は、実験条件をさまざまに設定した下での人工結晶の作成に一九三二年から取り組み、三六年に世界で初めて成功させた。そして、雪の結晶の構造から上空の気象条件を推定する方式「中谷ダイアグラム」を編み出した。それを自ら端的に表現したのが、「雪は天からの手紙」という言葉である。

中谷はアートにも通じたサイエンスライターとしても活躍した。一九三八年に創刊された岩波新書の一冊として、今も読み継がれる名著『雪』[169]を上梓した。そこでは、人工雪の結晶の研究を始めたのは、科学的、実用的な観点もさることながら、雪の結晶を人工的に作れたら面白いだろうという遊び心だったことが明かされている。

また、雪を題材とした科学映画の制作も行ない、四九年には映画プロダクション「中谷研究室」（後に岩波映画製作所に発展）まで発足した。

中谷は「イグアノドンの唄」[170]というエッセイを書いている。それは終戦の年の冬、羊蹄山山麓で疎開生活を送っていたときの思い出話となっている。雪に閉ざされた夜、子どもたちに「話」をせがまれたため、留学時代に友人からもらったコナン・ドイルの『失われた世界』（8章参照）を荷物から見つけ出し、みんなでストーブを囲みながら語って聞かせたというのだ。

しかも、一九三八年に南アフリカで古代魚シーラカンスが発見された話をその物語の枕にしたという凝りようである。そんな演出が子どもたちの想像力を大いに駆り立て、二男にいたっては「イグアノドンの唄」と題した詩を作ったという。その二男と長男は夭折したが、長女の咲子さんは長じてジョンズ・ホプキンス大学の岩石学教授、二女の芙二子さんは霧の彫刻で有名なアーティスト、三女の三代子さんはピアニストになった。

冷戦の陰で

かつてソ連、すなわちソビエト連邦という国があった。歴史上初めて誕生した社会主義体制の国家だった。

この国はアメリカ合衆国を相手に長きにわたって冷戦状態を続けていた。どちらかが核攻撃に出れば全面核戦争となり、世界は破滅することを暗黙の了解とした緊張関係である。

第二次世界大戦後のスパイ小説は、冷戦あってこそのジャンルだった。その雄の一人がイギリスの作家ジョン・ル・カレ。

だが、一九八〇年代後半にソ連で始まった改革運動ペレストロイカにより、ロシア・東欧圏の社会主義体制は崩壊した。

「ロシア・ハウス」[171]は、ソ連崩壊前夜を舞台にしたル・カレ原作の同名小説の映画化である。タイトルはイギリス情報部ソ連担当部局の名称で、主演はショーン・コネリーとなれば、あの007が

(168) 鈴木牧之『北越雪譜』(岩波文庫、一九三六)
(169) 中谷宇吉郎『雪』(岩波新書、一九三八/岩波文庫、一九九四)
(170) 樋口敬二編『中谷宇吉郎随筆集』(岩波文庫、一九八八)所収
(171) フレッド・スケピシ監督「ロシア・ハウス」(一九九〇、アメリカ)。原作はジョン・ル・カレ『ロシア・ハウス』(村上博基訳、早川書房(上下)、一九九〇/ハヤカワ文庫NV(上下)、一九九六)。

思い出されるが、本作に派手なアクションはない。

主人公のバーリー（ショーン・コネリー）はイギリスの出版社主で飲んだくれのアナーキスト。ゲーテと呼ばれる謎の人物の手記出版を託されたことで、俄（にわか）スパイを演じることになる。その手記は、専門家の分析によれば、ソ連の核攻撃力が実は欠陥だらけであるという内部告発の書だという。だとしたらとんでもない機密情報だが、信憑性はあるのか。ゲーテとは何者なのか。

仲介役を演じるロシア人美女カーチャ（ミシェル・ファイファー）からバーリーが得た情報から、ゲーテはソ連軍の中枢で働くエリート科学者であることがわかってくる。一四歳にして国際数学オリンピックで金メダルに輝いた国の宝らしい。

国際数学オリンピックというのは高校生を対象にした国際大会で、一九五九年から毎年ひらかれている。日本は一九九〇年の大会から参加している。

ちなみにぼくはかつて、国際数学オリンピックへの代表選手六名を選ぶ日本数学オリンピックと国際化学オリンピックへの代表選手を選ぶ化学グランプリのコンテスト・セミナー参加選手に関する調査に関わったことがある。多くの生徒が在籍しているのは都会の私立や国立の有名進学校で、学校ぐるみで育成に取り組んでいる。そのなかにあって、地方から一人で参加した生徒の感想が印象的だった。自分の高校では「理数オタク」として仲間がいなくて孤立していたけれど、大会で初めて同じ志向の仲間に会えてうれしかったというのだ。

日本は格差社会に移行しつつある。その縮図が学校現場かもしれない。そんなことを考えたのは、

朝井リョウの小説『桐島、部活やめるってよ』[172]を原作とした同名映画[173]を観たからである。

舞台は地方の県立高校。運動部のレベルはそれほどではないのだが、クラスでかっこいいトップグループを形成しているのは運動部系。

なかでも桐島は、バレーボール部キャプテンでスポーツ万能。その桐島が、部活を突然やめたらしいという噂に波紋が広がる。その噂に振り回される何人かの生徒たちの視点で映画は進行する。

野球部の幽霊部員で実質帰宅部の宏樹は、塾仲間で親友のはずの桐島と連絡がつかないことに動揺する。桐島の彼女でゴージャスな梨沙は何も知らずに桐島を待っている。桐島はどうして部活をやめたのか、今どこにいるのか。桐島はいつまでたっても姿を見せない。

かっこいい運動部系をトップにした格づけの中で、文化部としては映画部と吹奏楽部が登場する。科学部は登場しない。全国の中学校・高校で科学部は絶滅危惧種なのだ。全国的な科学コンテストがある生物と化学あたりの部活でがんばっている学校がある程度。

それはともかく、映画部の前田はゴリゴリの映画オタク。運動部のナイスガイたちに対してなんとなくひけめがある。監督吉田大八の青春の投影なのか？

吹奏楽部の部長、沢島亜矢は、かわいい彼女のいる宏樹に片思いでなんとなく負け組のイメージ。桐島はなぜ部活をやめたのか。部活と塾通いを両立し、かわいい彼女だっているのに何が不満だったのか。

顧問の反対を押し切ってホラー映画の撮影を開始した映画部。映画監督自身の思い入れもあってか、映画部のほうが、中途半端な運動部や帰宅部よりもよほど青春している。何であれ仲間と何かに夢中になれること、それが青春なのだろう。

閑話休題。

数学オリンピックでは、当初、共産圏が国を挙げてエリート育成に力を入れていた。ゲーテはその中で選りすぐられた逸材だったのだろう。

しかし、科学者となったゲーテは、科学技術が冷戦構造を維持するための道具とはなっても、局地的な戦争撲滅には貢献していないことに幻滅し、世界平和実現のための真相暴露の行動に出たのだという。

イギリス情報部とCIA、KGB、三者の腹の探り合いの中で、一介の素人にすぎないバーリーはどう立ち回ればよいのか。

ゲーテの手記が世に出れば、科学者としての良心を貫く覚悟の本人はともかく、カーチャの身にも危険が及ぶ。カーチャを愛したバーリーがそこでとった行動は?

三国の諜報機関を手玉にとり、大義と愛を貫くバーリーを演じるショーン・コネリーがとにかくカッコイイ。とても、当時還暦とは思えない。劇場公開時、歳をとってもあんなふうになりたいも

(172)『桐島、部活やめるってよ』(集英社、二〇一〇/集英社文庫、二〇一二)
(173) 吉田大八監督「桐島、部活やめるってよ」(二〇一二、日本)

のだと憧れたものだ。

二五年の時を経て、自分にもついにその節目が巡ってきた。せめて身なりだけでも近づくべく、バーリーが着こなしていたのと同じダッフルコートを自分への誕生日プレゼントにした。

諦観の念にあらがう

アメリカの劇作家リリアン・ヘルマンの回顧的な短編[174]を原作とする映画「ジュリア[175]」には、諦観の念が漂っている。歳を重ねるにつれ、塗り重ねて消えていた画像が透けて見えてくるという冒頭の語りが意味深である。

映画の主な舞台は、ナチスの暗い影が席巻しつつある欧州と、リリアンがパートナーと暮らすアメリカ、ロードアイランドとおぼしき海辺の家。そのパートナーとは、『マルタの鷹[176]』で有名な作家ダシール・ハメット。ハンフリー・ボガート主演の映画[177]でも知られるハードボイルド小説の生みの親である。

ジュリアとリリアンは幼なじみの親友。富豪の娘ジュリアは、自らの出自を恥じ、社会主義に傾倒する。フロイトの下で学ぶためにウィーンに留学するのだが、ナチ党員の襲撃で瀕死の重傷を負い、そのまま姿を消す。

映画はそこからサスペンスに。劇作家として成功したリリアンは、モスクワの演劇祭に向かう途中のパリで、ジュリアの同志を名乗る男から活動資金の運び屋を頼まれる。ジュリアは反ナチ活動に身を投じていたのだ。

危険を覚悟で引き受け、ベルリンに赴いたリリアンは、そこでジュリアと再会する。片脚を失いながらも巨悪に立ち向かうジュリアの凛々しさが印象的なシーンだ。しかしやがて、ジュリアは多くの謎を残したままナチに惨殺される。

実話と解釈するには無理が多い筋立てだが、リリアンの実人生と時代の空気が色濃く反映されている。

リリアンは、心情的社会主義者として、第二次大戦後のアメリカの反共主義に抵抗した。それを演じているのは、かつてはセクシー女優、当時はベトナム反戦女優だったジェーン・フォンダ。ジュリア役のヴァネッサ・レッドグレイヴも反体制活動家として知られる。

それでこの映画のどこがサイエンスなのか。じつはほとんど関係ない。わずかに、ウィーン留学前にオックスフォード大学でリリアンと再会したジュリアが、ダーウィンやマルクスやアインシュ

(174)『ジュリア』(中尾千鶴訳、前出注5)。ヘルマン『未完の女――リリアン・ヘルマン自伝』(稲葉明雄・本間千枝子訳、平凡社、一九八一／平凡社ライブラリー、一九九三)もお勧め。
(175) フレッド・ジンネマン監督「ジュリア」(前出注5)
(176) ダシール・ハメット『マルタの鷹』(村上啓夫訳／小鷹信光訳、前出注4)
(177) ジョン・ヒューストン監督「マルタの鷹」(前出注4)

タインを勉強していると語るシーンくらいだ。

だがこの映画は、ぼくにとって特別な意味がある。ちょうどハードボイルド小説にはまっていた頃に見た映画であり、映画に登場するハメットのダンディーさがとてもいかしており、理想的な男に映ったのだ（1章参照）。

そして前述したように、ぼくが初めて稿料をもらった原稿のタイトルは「マルタの鷹を探せ」。小説に登場する鷹像の「鷹」の種類を探す科学エッセイだった。サイエンスライターとしてのぼくの原点ともいうべき、今は昔の物語である。

あとがき——科学エッセイという試み

雪の科学者として知られた中谷宇吉郎は科学全般の普及にも力を入れ、「科学を文化向上の一要素として取り入れる場合には、広い意味での芸術の一部門として迎えた方が良い」（「科学と文化」より）との持論を展開していた。その手段の一つとしては、「科学的な考え方というものはどんなものであるかということを、日常的な現象を切り口に味わい深く伝える」（「科学と社会」より）随筆（エッセイ）が有効であるとも。

日本人として初めてノーベル賞を受賞した物理学者の湯川秀樹は、「詩と科学遠いようで近い。（中略）どちらも自然を見ること聞くことからはじまる。」（「詩と科学——こどもたちのために」より）と述べ、中国古典の教養溢れるエッセイを物した。

湯川に続いてノーベル物理学賞を受賞した朝永振一郎は、科学教育にも力を入れ、京都市青少年科学センターを訪れた折には、「ふしぎだと思うこと／これが科学の芽です／よく観察してたしかめ／そして考えること／これが科学の茎です／そうして最後になぞがとける／これが科学の花です」と色紙に揮毫した。「光子の裁判」など、洒脱なエッセイも数多く残している。

この三者が連なる科学エッセイストの系譜は、いうまでもなく寺田寅彦に発している。中谷の前述のエッセイ論は、師である寺田のエッセイの形容にほかならない。ならばここで中谷の言う「味わい深く」とは、「情緒豊かに」という意味でもあるかもしれない。俳人としても知られる寺田の真骨頂である。

こうした科学エッセイに馴染んでいれば、科学とはそれほどしゃちこばったものではないということが実感されるはずである。中谷はこれを、「科学というものは米の飯のようなもの」と表現している。

一方、現代にあって希代の科学エッセイストであり、ぼくが師と仰ぐアメリカの進化生物学者、故スティーヴン・ジェイ・グールドは、サイエンスライターとしての自らの活動について次のように語っている。

私が書いてきた一般科学書は、モンテーニュが一六世紀に始めたエッセイという、まったく個人的で独善的な視点から一般的な素材を料理する文学のジャンルとして定義される。ただし最上のエッセイは、意見表明としては率直で他人の見解には寛大（あるいは少なくとも公平）で、著者の好みの土台を規定する努力においては正直なものである傾向がある。（ちなみにエッセイの語源は「試み」という意味である。）

『進化理論の構造』より

さらには、エッセイは、「身近で正確な細事を、それ自体としてのおもしろさを醸し出すと同時に、もっと視野の広い一般性へと脱線するための踏み台に用いる」というパラドックスをはらんでいるとも常々語っていた。

本書は、これら先達たちが切り開いたジャンルにあやかり、過去に発表した映画評と書評をエッセイ仕立てで再編集したものである。その大元は、毎日新聞科学面に二〇一二年四月から一五年三月までの毎月一回、「科学と映画の間合い」と題して連載した一回一〇〇〇字の映画コラムである。

寺田寅彦もグールドも、共に映画好きだった。超多忙だったはずのグールドだが、映画館に行く時間だけは大事にしていると、本人の口から聞いたことがある。彼のエッセイには映画はもちろん、野球、アニメ、ハーシーのチョコレートなど、ポップカルチャーの話題がハイカルチャーと同居していることでも有名である。

寺田が詠んだ「好きなもの／いちご、コーヒー、花、美人、／懐手して宇宙見物」という俳句に映画は入っていないが、映画論も物すほどの映画好きだった。その高弟中谷に至っては、映画制作プロダクションまで設立してしまい、「雪の結晶」という科学映画の傑作を制作した。

映画にはSF映画など、科学を真正面から取り上げた作品も多いが、文学作品同様、科学が巧みに取り入れられていたり、ストーリーから科学的なメッセージが読み取れるものも多い。そこで、毎日新聞科学環境部の元村有希子さん（現在は同社論説委員）の提案で企画したのが、件の連載コラムだった。その企画書でぼくは次のように書いていた。

英単語の science と cinema を隔てるのは「間」である。なぜなら science のアナグラムで cinema を作ろうとすると ma が足りない。科学と映画は相性が良いようで、意外と冷たい関係かもしれない。映画人から見れば、科学は難しくて、正しい話は映画にしにくい、むしろ荒唐無稽な話のほうが受けるから。要は「間合い」の取り方が問題。連載では映画の中での科学・科学者の描かれ方にこだわっていきたい。ここでいう科学は広い意味の「科学」で、数学、工学、農学はもちろん、人文科学なども含意している。あるいは、一見「科学」ではないように見えるがじつは「科学」といった視点も取り上げたい。

この連載コラムを軸に章立てを考え、過去に発表した書評をそこに合体させることで本書の骨格とした。ぼくは、書評もエッセイの一ジャンルと考えている。本の内容を紹介してその評価をするだけでは終わらせない味つけのしかたがあると思うからである。

採用した書評は、二〇〇五年から二〇一九年までに、朝日新聞、共同通信、日本経済新聞、日経サイエンスに掲載されたもののなかから抽出した（「はじめに」は、二〇一四年七月に日本経済新聞の書評欄に連載した「半歩遅れの読書術」を基にしている）。また、デボラ・ブラム著『幽霊を捕まえようとした科学者たち』の文春文庫版解説も流用した。書評執筆の機会を与えてくださった担当者のみなさん、ありがとうございました。

連載コラムには、毎回、漫画作家の山本美希さんのイラストが添えられていた。連載開始時は筑波大学大学院芸術系研究科の大学院生だったが、連載途中の二〇一三年には、『Sunny Sunny Ann!』（講談社、二〇一二）で第17回手塚治虫文化賞「新生賞」を受賞され、博士論文をまとめて大学院を修了後、同大学の助教に就任されている。本書では一六点のイラストを借用させていただいた（カバーの装画は毎日新聞での別の連載「団栗」から）。

思い起こすと、物書きを始めた当初、ぼくは科学エッセイストを名乗っていた。「はじめに」で書いたとおり、出発点がミステリー雑誌に掲載されたエッセイで、その後は、小冊子や企業広報誌などからの依頼原稿が主たる執筆活動だった。やがて科学雑誌などの仕事も増えたこともあり、翻訳活動も含めて、科学ジャーナリスト、次いでサイエンスライターを名乗るようになった。経歴としては、ほぼ四〇年になる。

先日、憧れのショーン・コネリーが鬼籍に入った。コロナ禍も一向に収まる気配がない。せめて、還暦祝いに自ら買い求めたダッフルコートを引っ張り出して身を固め、寒風に逆らい凜として歩くことにしよう。

最後に、思いつきで始めた企画を一冊の本にまとめてくださったみすず書房の石神純子さんと、粗忽な著者の記憶違いをていねいに正してくださった校正担当の方に厚く御礼申し上げたい。

二〇二〇年師走の仙台にて

渡辺政隆

著者略歴

（わたなべ・まさたか）

サイエンスライター，日本サイエンスコミュニケーション協会会長，東北大学特任教授．1955年生まれ．東京大学農学系大学院修了．専門はサイエンスコミュニケーション，科学史，進化生物学．著書『DNAの謎に挑む——遺伝子探究の一世紀』（朝日選書，1998），『一粒の柿の種——科学と文化を語る』（岩波書店，2008，岩波現代文庫，2020），『ダーウィンの夢』（光文社新書，2010），『ダーウィンの遺産——進化学者の系譜』（岩波現代全書，2015）ほか．訳書　フィリップス『ダーウィンのミミズ，フロイトの悪夢』（2006），ラビノウ『PCRの誕生』（1998），サックス／グールド他『消された科学史』（共訳，1997，以上みすず書房），グールド『ワンダフル・ライフ』（早川書房，1993，ハヤカワ文庫NF，2000），レジス『ウイルス・ハンター』（早川書房，1997，ハヤカワ文庫NF，2020），デズモンド／ムーア『ダーウィン』（工作舎，1999），ケインズ『ダーウィンと家族の絆』（共訳，白日社，2003），ダーウィン『種の起源』（上下，2009）『ミミズによる腐植土の形成』（2020，以上光文社古典新訳文庫）など多数．

渡辺政隆
科学で大切なことは
本と映画で学んだ

2021年 2月10日　第1刷発行

発行所 株式会社 みすず書房
〒113-0033 東京都文京区本郷2丁目20-7
電話 03-3814-0131(営業) 03-3815-9181(編集)
www.msz.co.jp

本文印刷所 精文堂印刷
扉・表紙・カバー印刷所 リヒトプランニング
製本所 誠製本
装丁 大倉真一郎

Printed in Japan
ISBN 978-4-622-08978-0
[かがくでたいせつなことはほんとえいがでまなんだ]